LINGALA

rammar and Dictionary

D1610102

Prof Malcolm Guthrie
Dr John F Carrington

English – Lingala

Lingala – English

BAPTIST MISSIONARY SOCIETY
DIDCOT, ENGLAND

Baptist Missionary Society
PO Box 49
Baptist House
129 Broadway
Didcot, Oxon, OX11 8XA
England

ISBN 0 901733 08 3

Printed in Great Britain by Redwood Books

*We offer here tribute and thanks to
John F Carrington, BSc, PhD, revered
missionary, teacher and linguist in the
Democratic Republic of Congo from 1938
to 1977, who completed this revision before
his sudden death in 1986.*

*We are also grateful to Winifred Hadden
and Susan Wilson, who have diligently read
and corrected the proofs.*

CONTENTS

INTRODUCTION / GRAMMAR

In 1931, missionaries of the Congo Protestant Council called a conference in Kinshasa to gather together "all the known work on Lingala Grammar and Vocabulary", using Frank Longland's revision (1914) of W.H. Stapleton's pioneer publication: "Suggestions for a grammar of Bangala" (Bolobo 1903). Professor (then Rev.) Malcolm Guthrie of the Kinshasa BMS Mission was invited to rearrange and edit the linguistic findings of this Conference and his "Lingala Grammar and Dictionary" appeared with the authorization of the C.P.C. in 1935. Four years later, he published a French edition with the title: "Grammaire et Dictionnaire de Lingala" in which he not only radically revised the vocabulary but also introduced the 7-vowel system of notation as well as describing the tonal structure of the language and indicating tonal melodies of all lexical and grammatical elements.

In 1939, the author of the "Grammaire et Dictionnaire" modestly claimed that Lingala was well known on both banks of the river between Kinshasa and a point about 200 km to the West of Kisangani as well as inland "to a certain distance" on both sides. Today, it is probably known by more inhabitants of the Democratic Republic of Congo than any other language in the country and its usage has crossed the borders of the Republic into Angola and the Republic of Congo. Because of the popularity of Lingala music, the language has acquired prestige all over the western part of Africa and even further afield.

Professor Guthrie was anxious to publish a revision of his "Grammaire et Dictionnaire" and to supplement this there was to be a teaching manual for Lingala. When he visited Congo in 1970 as visiting-lecturer at the University (Kisangani Campus) under the auspices of the British Council, he began making notes for such a revision. His untimely death in 1973 came before he could finish the work, though most of the lexical material has been worked over the supplemented. The book now presented follows closely his publication of 1939 and is offered as a tribute to his linguistic achievement in describing so carefully the language of the people he worked among – a language that has continued to grow in use and influence and could well be a candidate for the national language of Congo.

J.F. Carrington

CHAPTER I

ORTHOGRAPHY AND PRONUNCIATION

1. **The alphabet** is written phonetically using Roman characters with two additional vowels: ɛ and ɔ. The complete alphabet is as follows:

    a b d e ɛ f g (h) i j k l m n o ɔ p s t u w y

Consonant **h** is rarely heard except in a few loan words.

2. **Consonants.** Each consonant is represented by one symbol only. For the most part these have the same values as in English. Note that –

> g is always hard as in **g**ame
>
> s is always heard as in sing
>
> y is the semi-vowel as in **y**et
>
> w is the semi-vowel as in **w**as

3. Pronunciation varies over the wide area in which Lingala is heard. The most frequent differences are:

> **l** is sometimes heard as **d**: módídi, mólíli (shade);
>
> **j** is usually heard as in English "jump", but in the Middle River area of Congo and in the Capital of Kinshasa, it is often pronounced as in French "je" or as in English "zero": tojalí (we are) is heard: tozalí;
>
> **f** is sometimes heard as a bilabial consonant, i.e. breath is emitted through the two lips instead of between the lower lip and the upper teeth as in English and French. This is usually the case for speakers whose mother tongue uses the bilabial **f**;
>
> **y** as the initial consonant of radicals may sometimes be dropped: -yóka (hear) is heard: -óka, -yíba (steal) is heard: -íba.

4. **Nasal consonants.** These are common in Lingala:

mb	mbaláta	(horse)
mf	mfufú	(flour)
mp	mpótá	(wound)
ng	ngonga	(bell, drum)
nk	nkásá	(leaves)
nd	ndúnda	(vegetable)
nj	njáká	(claws)

4

ns	nsuka	(end)
nt	ntaba	(goat)
ny	nyɔ́ka	(snake)

Note that, although we write these consonants with two (sometimes more) characters, each is a single sound.

Before d, j, s and t, the nasal element is heard as the **n** of sand, change, inside and intake;

> ny is pronounced as the **gn** of French "a**gn**eau";
>
> ng and nk are heard as in English "li**ng**er" and "si**nk**", i.e. with the sound represented phonetically as ɔ before g and k.

5. Some speakers tend to drop the nasal so that we hear:

> dáko instead of ndáko (house),
>
> pasi instead of mpasi (pain, hardship),
>
> kásá instead of nkásá (leaves, papers).

6. When a nasal element combines with another consonant, it will change according to the following rules:

> before d, j, s, t it is heard as **n**:
>
>> n-dímo (lemon)
>>
>> n-sɔ́ni (shame)
>>
>> n-jala (hunger)
>>
>> n-tonga (needle)
>
> before g, k it is heard as ɔ but written as **n**:
>
>> n-gubú (hippo)
>>
>> n-kɛ́mbɔ (glory)
>
> before b, f, p it is heard as **m**:
>
>> m-bwí (grey hair)
>>
>> m-pumbú (crumbs)
>>
>> m-fulu (bubble)
>
> before l, it is heard as **n** but the consonant **l** becomes **d**:
>
>> n-diká (palm-kernels – the plural of mo-liká)
>
> before y, it is heard as **n** but sometimes changes the semi-vowel to **j**:
>
>> n-jémbo (songs, the plural of lo-yémbo).

7. The semi-vowel **w** may combine with a consonant to produce a new consonantal sound. Although we write this with two characters, as with nasal consonants, it is only a single sound:

bw	bwáto	(canoe)
jw	-punjw-	(spout)
mw	-kamw-	(be surprised)
pw	-jipw-	(be opened)
sw	-swan-	(quarrel)
tw	-pétw-	(be clean)
ndw	-kundw-	(be exhumed)
ngw	-kangw-	(be untied)

8. Consonants **b** and **p** combine with **g** and **k** respectively to produce new consonantal sounds:

gb	-gbóm-	(bark, as of a dog)
kp	-kpulut-	(scour)
ngb	ngbaa	(very bright)

The latter consonant is sometimes pronounced ngw:

ngbangbata = ngwangwata (target).

9. **Vowels.** There are 7 vowels in Lingala which we write with symbols recommended by the International African Institute. They have the following values:

a intermediate between Southern and Northern English **a** in "glass",

e as in French é of "été" (Newcastle English **a** as in "races"),

ε as in English "m**e**t",

i as in English "s**ee**",

o as in Scottish "s**o**",

ɔ as in English "n**o**t",

u as in English "p**oo**l" (French "s**ou**").

10. It is important to distinguish between closed and open vowels e/ε, o/ɔ:

(a) a number of pairs of words are distinguished by vowel quality –

moto, person
mótɔ, fire

ebelé, crowd
ɛbɛlɛ, thigh

kobéla, to be cooked, ready
kɔbɛla, to be ill

libóngo, river-bank
libóngɔ́, knee

nkómbó, name
nkɔ́mbɔ́, brush

kotónga, to construct
kɔtɔ́nga, to slander

Note that there are also tonal differences between the members of some of these pairs (see section 13);

(b) the two kinds of vowel do not occur in any one word:

éte (so that), bôngó (thus), mpɛ́mbɛ́ (white), sɔ́kɔ́ (if), sékó (for ever), lɛlɔ́ (today);

(c) vowels in affixes are open or closed following the nature of the radical vowel:

-tén- (cut), -ténel- (cut for),

-tɛ́m- (stand up), -tɛ́mɛl- (stand up to),

-tóng- (build), -tóngel- (build for),

-bɔng- (arrange), bɔngisɛl- (prepare for),

esende (squirrel),
ɛsɛngɔ (joy),

mokóló (proprietor),
mɔkɔlɔ (day).

11. Diphthongs do not occur in Lingala. Where 2 vowels are juxtaposed each is pronounced with its characteristic value:

a-i	mái	(water)
i-a	mpía	(sharpness)
e-i	mínei	(4)
o-i	mói	(sunlight)
i-o	esio	(cool season)
a-o	lopáo	(spade)
a-u	motau	(soft)
ɔ-i	nsɔi	(saliva)

| i-ɔ | mpíɔ | (humidity) |
| u-a | júa | (jealousy). |

12. **Relief** (accent). This varies from area to area where Lingala is spoken. In the East, we hear the typical accent of Swahili with the penultimate syllable of each word bearing the main stress. In the Lower River area, the stress is on the first syllable of the radical. Compare, for instance, the pronunciation of these words:

> tokokanisa (we shall think) East: toko**ka**nisa
> West: to**ko**kanisa

> (the stressed syllable is in **bold** type in each word).

The difference is heard clearly in the transliteration of English "Mary" in the two areas: East: Ma**lí**ya,
West: **Ma**lya.

Where a radical contains more than 2 syllables, the penultimate is also stressed in the Western area as well as the first syllable of the radical: bako**pa**langan**i**sa (they will scatter).

13. **Intonation.** Lingala is a tonal language. Each syllable is pronounced on one of two different tones, either high or low. The actual interval between these two notes is not important and varies with different speakers and with the same speaker when he or she uses a different emphasis in conversation. But it must be clearly audible for communicating proper meaning. It is these two tones of spoken words which are transmitted on wooden drums and other bi-tonal instruments when they "talk" in tonal languages. The musical patterns of new words should be learned by heart. This is not a difficult task because, as will be shown later, there are fixed tonal rules governing the construction of many words in Lingala.

14. It is convenient to indicate tones in writing by placing an acute accent over the vowel of a high-toned syllable: á, é, í... The low-toned syllables are then left unaccented or, when it is necessary to emphasize their tonal value, the vowels can carry a grave accent: à, è, ì...

Note some groups of words where tonal patterns alone distinguish meaning:

mbala (times), mbálá (leprosy);

moto (person), motó (head);

nyɛ (quiet), nyέ (complete);

kotíola (to despise), kotíola (to drift down-river)

koyina (to hate), koyína (to dip, submerge).

15.   When 2 vowels occur with different tones, these may be heard as a glide, rising or falling. It is convenient to write them separately, each marked with its appropriate tone:

> bóongó (thus), lɔ́sɔ (rice),
> átáa (even if), mpɔ́ɔ (affair).

But traditionally, before Lingala was recognized by western linguists as a tonal language, these common words were written with single vowels so that we must use special accent signs to indicate tonal patterns:

> bôngó, lɔ̌sɔ, átâ, mpɔ̂

where the circumflex accent (ˆ) = (´) + (` ), and the inverted circumflex ( ˇ ) = ( `) + (´).

16.   Tone in sentences. Word tonal patterns remain constant wherever they occur in a sentence except at the last syllable and on the syllables before it. This may mask the normally high tone of such a syllable. Learners who wish to check tonal patterns by asking Lingala speakers to pronounce words should always make sure that there are words following the one that is to be checked in order to obviate this "end-fall" effect. Thus:

> How do you say: He went? Reply: Akei (. . `)

> How do you say: He went to the village?
>   Reply: Akei na mboka (. . · · · `)

The second reply shows clearly that the intrinsic tonal pattern of /akei/ is . . · and the word will be accented /akeí/ with a final **high** tone.

In questions, however, the tonal values of all syllables are maintained throughout the sentence and there is no final cadence:

> Did he go? Akeí? (. . ·)

> We shall see him today.
>   Tɔkɔmɔ́na yé lɛlɔ́ (. . · · · · `)

> Shall we see him today?
>   Tɔkɔmɔ́na yé lɛlɔ́? (. . · · · · ·)

9

17. **Syllables.** Syllables may consist of a vowel alone:

ofandí (you sat down), alóngí (he succeeded).

Such syllabic vowels may be juxtaposed. If they have the same phonetic value and the same tone, we hear a long vowel which is conveniently written as two similar vowels:

kosoola (to converse),

molangi etóndí maa (the bottle is quite full),

totámbólí téé **(we walked on and on).**

Where the vowels are similar phonetically but differ in tone, a glide is heard as in section 15 and represented as described there. Where the vowels are dissimilar phonetically, they are heard separately and form separate syllables.

More usually, however, Lingala syllables have the form CV. i.e. a consonant C followed by a vowel V. The two make one distinct sound and it is incorrect to separate them when printing or writing Lingala. Hyphenation at the end of a line must respect this:

kojónga should be divided: ko-jónga, kojó-nga, (to return); but koj-ónga, kojón-ga, kojóng-a would be wrong.

CHAPTER II

WORD STRUCTURE

18. As in other Bantu languages, the essential ideas of Lingala words are contained in their **radicals.** Radicals do not occur on their own but are heard associated with prefixes and suffixes to build up nouns, adjectives, verbs and other parts of speech. Examples:

radical -LOB- (speak) gives li-lob-a (word)

mo-lob-i (speaker)

to-lob-ákí (we said)

lob-á! (speak!)

radical -SÁL- (do) gives mo-sál-a (work)

mo-sál-i (worker)

e-sál-eli (tool)

e-sál-elo
(work-place, factory)

na-sál-í (I worked)

ko-sál-a (to work)

bi-sálasal-a
(useless effort)

radical -ÍND- (dark) gives mo-índ-o
(dark-skinned person)

ba-índ-o
(dark-skinned people)

e(y)-índ-í
(it has become dark)

A later chapter (XVIII) gives the significance of the affixes found in Lingala and rules for tones on which they are pronounced. Although theoretically such affixes can be used with the majority of Lingala radicals, it is advisable to check with a Lingala speaker as to whether a newly constructed word does in fact exist in the spoken language.

CHAPTER III

NOUNS

19.   We noted in the last chapter how words are built up by adding prefixes and suffixes to Lingala radicals. Nouns are built up in this same way and have the general structure:

$$P + R + S$$ where P is a prefix,
$\qquad\qquad\qquad$ R is the radical, and
$\qquad\qquad\qquad$ S is a suffix.

For their prefixes, nouns can be recognized as belonging to one of 13 different classes which are numbered as follows:

1. mo-   mobáli (male)

2. ba-   babáli (males)

3. mo-   motéma (heart)

4. mi-   mitéma (hearts)

5. li-   lilála (orange)

6. ma-   malála (oranges)

7. e-   esíká (place)

8. bi-   bisíká (places)

9. nasal or zero   njɔku (elephant)
$\qquad\qquad\qquad\qquad$ saáni (plate)

10. nasal or zero   njɔku (elephants)
$\qquad\qquad\qquad\qquad\quad$ saáni (plates)

11. lo-   lopango (enlosure)

12. bo-   bolingo (love)

13. ko-   kolíya (eating, food)

When the root vowel is open ɛ or ɔ, the prefix vowel and suffix vowel(s) will open where this is e or o (see sectoin 10c). Thus:

1   mɔnɔngi (spy)

3   mɔkɔkɔ (tree-trunk)

7   ɛtɛbu (razor)

11   lɔkɛndɔ (journey)

12   bɔmɔí (life)

13   kɔlɔkɔta (picking-up).

20.   The list of nouns above shows clearly how prefix change serves to show singular and plural. Some nouns form their plurals in more than one class. Singular/plural formation typically occurs with prefix pairs:

1/2   moto (person), bato (people)

3/4   mɔkɔlɔ (day), mikɔlɔ (days)

3/10 mosuki (hair of head), nsuki (hair, plural)

5/6   likémba (plantain),
                          makémba (plantain, plural)

7/8   epái (place), bipái (places)

7/10 elaká (promise),
                          ndaká (promises) – also bilaká

9/10 ngubú (hippo), ngubú (hippos)

11/10 lokásá (leaf), nkásá (leaves)

11/6 lokolo (leg), makolo (legs)

Some nouns are only found in singular or in plural forms. These will be noted in the following detailed account of the different classes.

Note that the tone of the noun prefix is nearly always low. Some exceptions to this rule can be explained by elision of the low-toned prefix with a high-toned radical vowel:

líso (eye) / míso (eyes) can be regarded as li + íso / ma + íso.

Other high-toned prefixes sometimes occur and these must be learned as such:

mónganga (doctor, healer, nurse),

líbenga (bag, sack),

mólíli (shade, darkness),

mólinga (smoke).

21.   Class 1, prefix mo-

(a) Nouns with this prefix are singular and refer to persons. They form their plurals in class 2 (suffix ba-):

motúli (blacksmith),

motíndi (sender),

molakisi (teacher).

(b) When the radical begins with a vowel, the prefix vowel **o** is heard as the semi-vowel **w**:

> mwána (child),

> mwásí (woman, wife).

Note, however, moombo (slave), and moíndo (black-skinned person).

(c) A number of nouns with zero prefix (as in class 9) that form their plural with prefix ba- are considered as a sub-section of this mo- class. Many are the names of close relatives:

> tatá (father),

> mamá (mother),

> nɔ́kɔ́ (uncle).

Personal nouns with a nasal prefix (class 9) also behave in the same way and can be listed here:

> ndeko (brother/sister),

> nkɔ́kɔ (ancestor)

> nkóló (master, elder)

> nganga (healer, doctor)

> njámbé (god)

> mbanda (co-wife).

22. Class 2, prefix ba-

(a) Most nouns of this class are plural names for people:

> bato (people),

> balakisi (teachers),

> bána (children),

> básí (women),

> baombo (slaves),

> batatá (fathers),

> bandeko (brethren, sisters),

> banganga (medicine-men).

(b) Some Lingala speakers use this prefix for the plural of inanimate objects, i.e. instead of using Class 10 prefix:

> bambóka (villages),

> basandúku (boxes, coffins).

(c) it is used with the name of a country or town to indicate "The whole clan of....":

> ba-Zaïrois (Zaïreans as a nation),
>
> banjɔku (all the elephants),
>
> bamindélé (all white people),
>
> bankóbá (the tortoises).

Used before the name of person, it indicates all his family and friends: baYoáne (all John's people and associates). For some speakers this carries an honorific connotation:

> Namɔní baYakóbo na jándo.
> > I saw the respected James in the market.

(d) Before nouns of quality, it signifies the people having that characteristic: balɔlɛndɔ (the proud), banguyá (the strong).

23. Class 3, prefix mo-

This has the same shape as prefix 1 but we separate it off from the latter because it is used in many non-personal nouns and changes to mi- in the plural rather than ba-.

(a) Some personal nouns are included in this class, usually describing people outside the immediate family group:

> mokonji (chief),
>
> mokóló (adult, senior),
>
> mobangé (old person).

(b) Many names of large trees have this prefix:

> molondó (African teak), molanga (paddle-wood
>
> tree).

(c) Parts of the body not in pairs:

> motéma (heart), mosapi (finger, toe), mɔnɔkɔ (mouth), mɔkɔngɔ (back).

(d) Some tools:

> motámbo (trap), monyámá (hunting net), mosío (file), mɔtɔ (fire).

(e) Names of some insects and other living things usually occurring in large numbers:

> monjóí (bee), mɔbɛmbé (large snail), mokékélé (cane).

24. Class 4, prefix mi-

(a) Mainly heard in plurals of nouns in class 3:

mikonji (chiefs), milondó (Teak trees), mitéma (hearts), mióto (fires).

(b) A few words in mi- have no corresponding singular noun with prefix mo-:

mingai (rheumatic pains), mitoki (sweat).

25. Class 5, prefix li-   Another mixed group:

(a) Parts of the body usually in pairs:

litama (cheek), líso (eye), litói (ear), likɛsi (ankle), libéka (shoulder), litíndí (foot).

(b) Fruits and small trees (in the singular):

lilála (orange and orange-tree),
likémba (plantain fruit, bunch and plant),
libíla (oil-palm),
lihímbo (bread-fruit and bread-fruit tree).

(c) Small animals and insects:

lifofe (spider), lipalala (butterfly), lingató (crab).

(d) Actions:

litátólí (testimony), liloba (word), likanísí (thought).

26. Class 6, prefix ma-

Nouns in this class are mostly plurals of nouns with singulars in Class 5:

(a) mabéka (shoulders), míso (=ma+íso, eyes), mafofe (spiders), maloba (words).

(b) A few words in class 12 (prefix bo-) form plurals with this class:

máto (canoes), makonji (kingdoms).

(c) Two nouns with prefix lo- have plurals here:

lokolo/makolo (leg(s)), lɔbɔ́kɔ/mabɔ́kɔ (arm(s)).

(d) A few non-personal nouns with zero prefix add ma- in the plural:

matándú (tándú = palm of hand), mafungóla (fungóla = key).

(e) Names of liquids, powders and some abstract nouns also have this prefix ma-:

> mái (water), makilá (blood), mayína (pus), makala (charcoal), mabelé (soil), mawa (pity, sadness).

There is no corresponding noun with prefix li-. Note the series:

> libélɛ (breast), mabélɛ (breasts), mabélɛ (milk).

27. Class 7, prefix e-

Another varied class:

(a) Names of places:

> esíká (place), ɛsɛmɛlɔ (mooring-place).

(b) Some body parts not in pairs:

> ɛbɛlɛ (thigh), elongi (face).

(c) Body deformations:

> emimi (deaf person), ebubu (dumb person), elombé (giant).

(d) Useful objects in the home:

> etutú (wall), ekuké (door), ɛkɔlɔ (basket), ejipweli (opening tool).

(e) Habits:

> etámbwélí (gait), ekomélí (manner of writing), elobélí (way of speaking), esálélí (style of work).

Before the semi-vowel y, the prefix e- is not always heard:

> yíka (wheel), yenda (steering-wheel, rudder).

28. Class 8, prefix bi-

(a) Most are plurals of nouns with singulars in Class 7.

> bisíká (places), bibɛlɛ (thighs), bilombé (giants), bikɔlɔ (baskets), biyíka (wheels), bisálélí (styles of work).

(b) Some have no corresponding "singular" form with prefix e-:

> biléí (food), bimɛlí (drink), biláto (shoes).

29. Class 9, prefix nasal or nil:

(a) Some personal nouns (see section 21c):

> mpaka (old person), ndúmba (unmarried girl), nkulútu (older brother/sister).

These usually form their plurals by prefixing ba-.

  (b) Many names of big animals, fish and birds:

    mpúnda (ass, horse), ngɔ́mbɛ (cow), nkámbá (*Chrysichthys* fish), mpɔ́ngɔ́ (eagle).

  (c) Tools:

    mbɛlí (knife), mbéki (pot), nkáí (paddle).

  (d) Some results of action:

    ndaká (promise(s)) – also elaká, ndimbólá (explanation), ndakisa (example), ndingisa (permission), ndɔki (witchcraft).

  (e) Imported words:

    mésa (table), saáni (plate), kasáka (tunic).

30. Class 10, prefix nasal or nil:

Nouns of this class are indistinguishable by sound from those of class 9 but are plural rather than singular and this is usually clear from the context e.g. a following verb or variable-prefix adjective will be in the plural. The class contains several categories:

  (a) Plurals of Class 9 nouns:

    mbɛlí (knives), mpúnda (horses), mésa (tables), ndaká (promises).

  (b) Plurals of some Class 3 nouns:

    nsuki (head-hair), njóí (bees), nkékélé (canes).

  (c) Plurals of nouns with singulars in Class 11 (prefix lo-):

    mpɛtɛ (rings), nkíki (eye-brows), nkásá (leaves).

Note that the addition of the nasal prefix brings about change in some radical consonants:

    n + l gives **nd**: ndémo (tongues),
                          from singular lolémo,

    n + y gives **nj**: njémbo (songs),
                          from singular loyémbo.

31. Class 11, prefix lo-

Nouns in this class are of 2 main types:

  (a) Names for one object out of a mass of similar things:

    lokásá (leaf), losili (flea, louse), lobási (arrow).

(b) Results of action:

lobánjo (idea, thought), lotómo (errand), lɔkɛndɔ (journey).

(c) Two nouns for body parts which form their plural in Class 6.:

lokolo (leg), lɔbɔ́kɔ (arm).

Some Lingala speakers make the plural of lopango (enclosure) to be mapango

32. Class 12, prefix bo-

Nouns in this class mainly describe abstract qualities and are not heard in the plural:

(a) bolingo (love), bɔ́mɔí (life), bobóto (generosity).

(b) Note one name for an object with plural form in class 6: bwáto (canoe / máto (canoes).

33. Class 13, prefix ko-

These are verb infinitive forms which behave as nouns:

kɔlɔkɔta (picking-up, treasure-trove),
kɔkɛnda (going),
koyéba (knowledge, knowing),
kokúfa (dying, death).

CHAPTER IV

THE ADJECTIVE

34. Lingala adjectives have the same structure as nouns:

> | P + R + S |

A few common ones change the prefix P according to whether the noun qualified is singular or plural:

> moto mɔnénɛ (big person)
> bato minénɛ (big people).
>
> ndáko molaí (tall house)
> ndáko milaí (tall houses)
>
> elambá mokúsé (short garment)
> bilambá mikúsé (short garments)
>
> lilála mɔnénɛ (big orange)
> malála minénɛ (big oranges)
>
> mwána mɔké (small child)
> bána miké (small children).

The only other adjective that changes its prefix is -índo (black, dark) when used for people:

> moto mwíndo (a dark-skinned person),
> bato baíndo (dark-skinned people).

But note:

> elembo mwíndo (a black letter, type),
> bilembo mwíndo (black letters).

35. Other invariable words used in an adjectival way are:

gɔigɔi	lazy
kitɔkɔ	beautiful
mabé	bad
makási	strong, hard
malámu	good
míngi	many, much
mpémbɛ́	white
mobimba	whole, entire
mogugu	green, unripe
mosúsu	other
motáné	red, pale
motau	soft, feeble
motuno	blunt
mɔpɔtú	sharp
pɛtɛpɛtɛ	fragile, weak
yɔ́nsɔ (yɔ́sɔ)	all.

36.   All adjectives so far listed follow the nouns they
qualify:

> lokásá malámu (a good letter),
> bato yónsɔ (all people),
> njóto mobimba (the whole body),
> mbɛlí mɔpɔtú (a sharp knife).

37.   One adjective, however, precedes the noun: mwa
(mwá) (some, rather):

> Pésá ngáí mwa mafúta. (Give me a little oil.)
> Ndáko ejalí mwa mɔkɛ́. (The house is rather
> small.)

38.   In spite of the relatively few adjectives in Lingala,
it is possible to describe things with other constructions:

The noun to be qualified is linked to another noun by
the conjunction **na**:

> ɛlɔkɔ na mpétɔ́, a clean thing ("thing with
> cleanness")
>
> mbéki na mbíndo, a dirty pot ("pot with dirt")
>
> moto na mayélɛ míngi, a very wise man ("a man
> with much wisdom")
>
> mái na mwa mɔ́tɔ, tepid water ("water with a
> little heat")

39.   Note that if the adjectival form is used with a
verb-copula, the conjunction **na** may be omitted:

> molakisi ajalí mayélɛ, the teacher is wise,
> bána bajalí makási, the children are strong.

A demonstrative is often heard instead of the copula:

> moto óyo mayélɛ, this person (is) wise,
> moto yangó bobóla, that person (is) poor,
> mokonji yangó mɔsɔlɔ míngi, that chief (is) very
> rich.

40.   A relative phrase is frequently added to a noun to
qualify it:

> likémba lisílí kotela, a ripe plantain (plantain
> which has ripened),
>
> likongá likɔ́tí mabángá, a rusty spear (spear in
> which rust has entered),
>
> mabáyá makaókí, dry planks (planks that have
> dried).

Note how the prefix of the verb is the same as that of
the noun qualified (see section 76d).

CHAPTER V

COMPARISON OF ADJECTIVES

41.   Equality is expressed by linking the two nouns to be compared with the conjunction /lokóla/ (like, as) or /pelamɔ́kɔ́/:

Libángá ejalí mɔnɛnɛ lokóla sandúku. The stone is as big as the box.

This could also be expressed:

Mɔnénɛ na libángá ejalí pelamɔ́kɔ́ mɔnénɛ na sandúku.

Mɔnénɛ na libángá mpé sandúku ejalí pelamɔ́kɔ́.

42.   The comparative form uses verbs /-pus-/ and /-lek-/ (excel, surpass):

Alekí bangó na makási. He is stronger than they. ("He excels over them in strength")

Bapusí bísó na mɔkɛ́. They are smaller than we are.

The conjunction **na** may be omitted:

Libáyá óyo elekí yangó molaí. This plank is longer than that.

Mbɛlí elekí mɔnénɛ. The knife is bigger.

43.   The superlative is expressed by using a word meaning "much", "very":

Elambá óyo malámu míngi. This garment is very good.

Mái kitɔ́kɔ bɛ. Very clean water.

Or the adjective may be repeated:

njeté mɔkɛ́ mɔkɛ́, a very small stick (lit. stick small small).

Often the adjective is emphasized by lengthening the middle vowel:

ndáko mɔné-ɛ́-nɛ, a very big house

The interval between low and high tones in the adjective is often increased considerably.

44.   The superlative of comparison uses the word "all" – /yɔ́nsɔ/ or /yɔ́sɔ/ or nyɔ́sɔ/:

Mwána óyo alekí yɔ́nsɔ na mayɛ́lɛ. This child is the brightest. (lit. surpasses all in wisdom.)

22

CHAPTER VI

NUMERALS

45. Cardinal numbers from 1 to 10 are as follows:

1	mɔ́kɔ́ (or mɔɔ́kɔ́)	6	motóbá
2	míbalé	7	nsambo
3	mísáto	8	mwambe
4	mínei	9	libwá
5	mítáno	10	jómi

46. The numerals follow the noun qualified:

moto mɔ́kɔ́, one person; bato míbalé, two people; makeí jómi, ten eggs.

47. Multiples of ten are expressed by /ntúkú/:

20 ntúkú míbalé,   90 ntúkú libwá.

48. One hundred is expressed by the noun /mokámá/ which forms plural /nkámá/ (somtimes heard as /mikámá/):

mbíla nkámá mísáto, 300 palm trees.

49. Thousands are expressed by /nkóto/:

basoda nkóto, 1000 soldiers; makongá nkóto míbalé, 2000 spears.

50. Examples of complete numerals:

bána ntúkú mísáto na mítáno, 35 children;

elanga na nkóto na nkámá libwá na ntúkú mwambe na mítáno, the year 1985.

51. Numerals are often heard without nouns:

motóbá sangánísá mínei ekokí jómi, 6 + 4 = 10

ntúkú míbalé longólá jómi na mɔ́kɔ́ ekokí libwá,
                                    20 − 11 = 9

nsambo mbala míbalé ekokí jómi na mínei,
                                    7 x 2 = 14

ntúkú mínei na mwambe kabólá na motóba ekokí mwambe,   48 : 6 = 8

23

52. Ordinal numbers are the same as the cardinal numbers. They are linked to nouns they qualify by the conjunction /na/:

> moto na mínei, the fourth person;
> lokásá na ntúkú míbalé na nsambo, the 27th page.

With long numbers, the conjunction may be omitted:

> loyémbo nkámá mísáto na ntúkú mínei, hymn number 340.

For "first" and "last" there are special forms:

> mwána na libosó, the first child
> moto na nsúka, the last person.

Note the special words for a first child and a last child in a family:

> nkulútu, oldest and molimi, youngest child.

They can also be used to indicate older and younger siblings:

> nkulútu na ngáí, my older brother (boy speaking), my older sister (girl speaking).

> molimi na ngáí, my younger brother/sister.

53. **Fractions** are expressed by the ordinal numbers:

> ndámbo na míbalé, half (lit. part of two),
> ndámbo mísáto na mínei, three quarters (lit. three parts of four),
> ndámbo mítáno na mokámá, five hundredths, 5%.

54. **Distributives.** To express distributives the cardinal numbers are repeated:

> Bato yónsɔ bajuí nkásá mítáno mítáno.
> > All people received five papers each.

> Pésá mwána na mwána lilála mɔ́kɔ́ mɔ́kɔ́.
> > Give each child one orange.

CHAPTER VII

PRONOUNS

55. Pronouns replacing subject and object are the same in Lingala:

ngáí	I, me
yǒ (yɔɔ́)	you (singular)
yé	he, she, him, her
yangó	it
bísó	we, us
bínó	you (plural)
bangó	they, them (persons)
yangó	they, them (things)

56. Compound pronouns are formed by linking the above pronouns with /na/. Note the order of pronouns:

bísó na yǒ, you and I (lit. we and you)
bísó na yé, he/she and I (lit. we and he/she)
bínó na yé, you (sing.) and he/she (lit. you (plural) and he/she.

CHAPTER VIII

DEMONSTRATIVE ADJECTIVES
AND PRONOUNS

57. There are three demonstratives in Lingala according to the position of the noun referred to:

> óyo (this here), yangó (that there), wâná (the one referred to), e.g.:

> mokonji óyo, this chief here
> mokonji yangó, that chief over there
> mokonji wâná, the chief we have been talking about

> bána óyo, these children
> bána yangó, those children
> bána wâná, the children we are referring to

> ndáko óyo, this house (these houses)
> ndáko yangó, that house (those houses)
> ndáko wâná, the house/houses we spoke about earlier.

58. These same forms can also be used pronominally, i.e. without accompanying nouns. But additional forms are heard in this case:

> óyo, this one (person, thing), these (things only)
> baóyo, these (people)
> yangó, that one (thing), those (things)
> yé, yé wâná, that one (person)
> bangó, those (people).

There is no 3rd position demonstrative pronoun; we must use the others instead:

> yé wâná, bangó wâná, the one/ones referred to (people)
> yangó wâná, the one/ones referred to (things)

Note the combination of pronoun and demonstrative in the commonly heard reply to the question: Where is so-and-so?:

> yangó óyo (yang'óyo), here it is (lit. it (is) this), here they are (lit. they (things) these),
> bangó óyo (bang'óyo), here they are (lit. they (people) here).

There is no second position in this construction; instead the demonstrative /wâná/ is used:

> yangó wâná, there it is/they're there (things),
> bangó wâná, there they (people) are,
> yé wâná, there he/she is.

59. Examples of demonstrative use:

> Bato óyo balekí bangó na mayέlε. These people are wiser than those.

> Alingí bána yangó, abóyí baóyo. He likes those children, he rejects these.

> Óyo malámu, yangó mabé. This one (is) good, that one bad.

> Bilóko yangó ilekí óyo na mɔkέ. Those things are smaller than these.

> Yangó wâná ejalí likanísí malámu. That (you have just mentioned) is a good idea.

> Bangó wâná bakoyâ lɛlɔ́ tέ. Those folk (you spoke of) won't come today.

CHAPTER IX

POSSESSIVE ADJECTIVES AND PRONOUNS

60.   Possession is expressed in Lingala by using a personal pronoun linked to a noun by the conjunction /na/ (=with):

> ndáko na ngáí, my house(s)
> elanga na yɔ́, your (sing.) field
> mbɛlí na yé, his/her knife
> ekuké na yangó, its (e.g. the house's) door
> mokandá na bísó, our book
> mésa na bínó, your (plur.) table
> liloba na bangó, their language
> ndáko na yangó, their (e.g. the villages') houses.

61.   Personal pronouns are replaced by nouns in such possessive forms as:

> ndáko na mokonji, the chief's house(s), (lit. houses with the chief);
> bilanga na mbóka, village gardens, (lit. gardens with village);
> likémba na mwásí óyo, this woman's bunch of plantain;
> mikandá na bána na kalási, books of the school-children.

Note that Lingala here uses the conjunction /na/ to link the two nouns, the "possessor" and the "possessed" and it is not the genitive particle heard in many other Bantu languages. Attempts have been made (mainly by white ex-patriates!) to "ameliorate" Lingala by proposing the use of concorded genitive particles in place of /na/. One form of this which has spread in some areas is to use /ya/ in this position:

> ndáko ya ngáí, my house
> mbɛlí ya tatá, father's knife.

Occasionally /wa/ is heard for personal possessives:

> ngáí wa yɔ́, lit. "I of you" is sometimes written at the end of letters to express "yours sincerely".

But these concorded particles are by no means used consistently and it is better to use /na/ everywhere; this is understood by everyone.

62. Possessive pronouns have the same form as the adjectives, with a pronoun replacing the nouns:

óyo na ngáí, mine (thing, things, person), referring to this here;

baóyo na ngáí, mine (persons) referring to these here;

yangó na yǒ, yours (singular possessor), thing, things or person,

bangó na yǒ, yours (singular possessor), persons e.g. children.

óyo na yé, his, hers (person, thing, things),

baóyo na yé, his, hers (people – these here),

bangó na yé, his, hers (people – those there),

yangó na bísó, ours

bangó na bíno, yours

óyo na bangó, theirs.

CHAPTER X

INDEFINITE ADJECTIVES
AND PRONOUNS

63.   /yɔ́nsɔ/ – also heard as /nyɔ́sɔ/ or /yɔ́sɔ/ – expresses "all" in Lingala and is invariable:

> mikandá yɔ́nsɔ, bilanga yɔ́nsɔ, mbóka yɔ́nsɔ, bato yɔ́nsɔ, máto yɔ́nsɔ...
> all the books, gardens, villages, people, canoes...

64.   It can be used pronominally:

> yɔ́nsɔ ebébí, all is spoilt,
> yɔ́nsɔ bakómí, all have arrived,
> kamátá yɔ́nsɔ, take all.

65.   /mosúsu/ – "other", "other ones", "another". This is invariable except for the plural of personal pronouns:

> moto mosúsu, bato mosúsu, bilanga mosúsu, ntángo mosúsu...
> another person, other people, other gardens, another (other) time(s)...

For the personal pronoun in the plural we hear: /bamosúsu/

> Bamosúsu balingí koyá lɛlɔ́. Others want to come today.
> Namɔ́ní bamosúsu míngi na njelá. I saw a lot of others on the road.

66.   Repetition of these adjectives/pronouns indicates English "some....others":

> Mikwa mosúsu molaí, mosúsu mokúsé. Some bones (are) long, others short.
> Ntángo mosúsu malámu, ntángo mosúsu mabé. Sometimes (it's) good, at other times (it's) bad.
> Yé andimí, bamosúsu babɛ́tí ntembé. He agreed, others doubted.

67.   /mɔ́kɔ́/ – "one". This is used as a numeral adjective (section 45) but has two other meanings:

(a)   expressing "a certain"...
> Moto mɔ́kɔ́ ayéí. A certain person came.

The plural pronoun referring to people is /bamɔ́kɔ́/:
> Bamɔ́kɔ́ bayéí nsima. Some (people) came late.
> Nayébí bamɔ́kɔ́ na bangó. I know some of them.

Note that these two sentences could equally be rendered:

> Bamosúsu bayéí nsima. Nayébí bamosúsu na bangó. (cf section 66).

(b) expressing "self", "only". In this sense it is only heard in the singular:

> yé mɔ́kɔ́, he himself, by himself, only he,
> bangó mɔ́kɔ́, by themselves, they only.

68. /mpenjá/ – "self", "even". This word does not occur as a pronoun but is common after nouns and pronouns as an adjective:

> Bamíkitísí bangó mpenjá. They condemned themselves.
> Yé mpenjá asálí yangó. He, even he, did it.

Used with adjectives it behaves as an adverb and has the sense of "indeed":

> Malámu mpenjá! (That's) good indeed!
> Ayéí na pɔ́sɔ óyo mpenjá. He came this very week.

69. "Every" is not indicated in Lingala by a special word but expressed by repeating the nouns with /na/ as a link-word:

> Moto na moto amɔ́ní bísó. Everyone saw us.
> Tosálákí mosálá mɔkɔlɔ na mɔkɔlɔ. We worked every day.
> Epái na epái ɛkɔmɔ́na bínó yangó, kamátá yangó. Wherever you see them, take them.

CHAPTER XI

DETERMINATIVES

70. These have already been mentioned (section 38) as a useful means for expressing what many languages describe with adjectives. They are constructed by linking a qualifying word to a noun by means of /na/:

> moto na mpíko, a persevering person (lit. person with kidneys),
> mpúnda na mbángo, a fast horse,
> ndáko na mpέtɔ́, a clean house,
> molakisi na mayέlɛ, a wise teacher.

71. Further words may be added with another link-word /na/:

> mpúnda na mbángo na koleka, a very fast horse.
> moto na mayέlɛ na kolakisa, a person with teaching skill,
> mwána na elongi na ɛsɛngɔ, a happy-faced child.

CHAPTER XII

RELATIVES

72. Lingala does not use special relative pronouns; demonstratives or verb prefixes take the place relatives have in other languages:

> Moto óyo amɔ́ní ngáí. The man **who** saw me.
> Bato **baóyo** basɛkí bísó. The people **who** laughed at us.

73. Compound relatives such as "those who", "the one that" are similarly expressed by demonstratives:

> Namɔ́ní óyo alobí. I saw the one who spoke.
> Yangó etelí ekwéí. The one that was ripe fell down.

74. Expressions like "I am the one who…", "He is the one· who…" are rendered in Lingala by the personal pronoun followed by **moto**:

> Ngáí moto nakátí njeté yangó. I am the person who cut that tree down.
> Yé moto alobí. He's/She's the person who spoke.
> Náni moto akangí ntaba? Who's the person who tied up the goat?

75. Relative clauses. When a noun (or pronoun) in the principal clause is the subject of the subordinate relative clause, the link word is a simple demonstrative:

> main clause: Bána bajalí áwa. The children are here.
> subordinate: Bána basungí yɔ̌. The children helped you.

> Whole sentence: Bána **baóyo** basungí yɔ̌ bajalí áwa. The children **who** helped you are here.

> The singular form of this sentence would be: Mwána óyo asungí yɔ̌ ajalí áwa.

76. When the noun in the principal clause is the **object** of the subordinate clause, the Lingala construction heard may be one of several types:

(a) Principal clause: Tálá makémba. See the plantain.

> Subordinate: Tosómbí makémba. We bought the plantain.
> Whole sentence: Tálá makémba óyo tosómbí. See the plantain which we bought.

(b) Some Lingala speakers add a demonstrative at the end:

> Tála makémba óyo tosómbí yangó. See the plantain which we bought (it).

(c) A more frequently heard construction is to invert the subject of the verb in the subordinate clause:

> Tálá makémba óyo esómbí bísó. See the plantain which we bought. ("which bought we")

The demonstrative may be ommitted and we hear:

> Tálá makémba esómbí bísó.

(d) The most concise and clear way of rendering this sentence in Lingala is not only to omit the demonstrative but to link the verb in the subordinate clause with its antecedent (the noun that is qualified) by making the verb prefix the same as that of the noun:

> Tálá makémba masómbí bísó.

Other examples of this:

> Yóká liloba lijalí ngáí koloba. Listen to the word I am saying.
> Mikandá mikokoma yé ikokɛnda lɛló. The letters he will write will go off today.
> Bilɔ́kɔ malámu bipɛsí bangó yɔ́ ijalí na sandúku. The good things they gave you are in the box.

(e) Some Lingala speakers today simplify this relative construction to juxtaposition of the two clauses without any link word:

> Tálá makémba tosómbí. See the plantain we bought.

Note this construction in the title of a popular song:

> Mosálá tokosálaka. Work we do.

77. If the noun in the principal clause is the indirect object of the verb in the subordinate clause, another demonstrative may be necessary at the end of the whole sentence to avoid confusion:

> Principal clause: Namɔ́ní mbɛlí. I saw the knife.
> Subordinate: Mwána akátí njeté na mbɛlí. The child cut the tree. (down with the knife)
> Linked sentence: Namɔ́ní mbɛlí óyo mwána akátí njeté **na yangó.** Lit. I saw the knife that the child cut the tree down (with it).

CHAPTER XIII

INTERROGATIVES

78. It was noted in an earlier section (16) that Lingala sentences become questions if the sentence tone is maintained throughout and not allowed to fall at the end:

> Tatá asálí mosálá. (.·   .· ·   .· .)
> > Father is working – statement.

> Tatá asálí mosálá. (.·   .· ·   .· ·)
> > Is Father working? – question.

79. But Lingala has also special words that mark questions:

> **Náni?** Who?, with its plural: **banáni?**

> Náni óyo? Who is this?
> Óyo náni? (Idem)

> Banáni óyo? Who are these?
> Baóyo náni? (Idem)

Note that there is no verb in the Lingala question.

This is often heard as the subject of a verb:

> Náni ayéí? Who has come?
> Banáni bayéí? Who have come?

It is often heard as a determinative:

> ɛlɔ́kɔ na náni? whose thing? (one possessor)
> bilambá na banáni? Whose clothes? (several possessors)

80. It is used as an interrogative adjective: bato náni? Which people? (note the invariable form here).

This is heard in the question used to ask someone's name:

> Nkómbó na yɔ́ náni? What's your name?

It is not necessary to maintain tonal levels in /náni/ questions but this is often done to reinforce the interrogative aspect.

81. This same form is heard in subordinate clauses:

> Toyébí tɛ́ sɔ́kɔ́ náni akoyémba lɛlɔ́. We don't know who will sing today.

82. "Whoever" is also rendered by this same expression associated with /moto/ and plural /bato/:

Moto náni amekí kɔkɔ́ta na lopángo, kangá yé.
Whoever tries to enter the enclosure, seize him.

Tolobánákí na bato náni bamɔ́ní bísó na njelá.
We talked with whoever saw us on the road.

83.   Níni? – "what", "which"? This is invariable, there
is no plural form, different from the singular.

Used alone it signifies: What do you want? What is the
matter?: Níni? In some Upper River areas, this may be
reinforced: Níni kotó? What's the matter then?

It is often heard with a demonstrative and, like /náni/
can precede or follow this: Níni óyo? / Óyo níni?
What's this? / What are these?

84.   As object it follows the verb:

Olingí níni? What do you want?
Bakamátí níni? What did they take?

85.   As an adjective, it follows the noun qualified:

Njeté níni? What tree(s)?
Mikandá níni? Which books?

86.   "Whichever" and "whatever" are also expressed
by /níni/:

Malámu ákɛnda na mokandá níni elingí yé. It is
good that he goes with whatever book he wants.

Likambo níni elobí yé, sálá bɔbélɛ bôngó.
Whatever he says, do just that.

87.   **Wápi?** Where? This often takes first place in the
interrogative sentence:

Wápi mbɛlí na yɔ̌? Where (is) your knife?

Wápi ndáko ekofanda bísó káti na yangó?
Where's the house we shall be staying in?

But it is also heard at the end of the interrogative
sentence:

Mokandá na yɔ̌ wápi? Where (is) your book?

Osómbí ɛkɔlɔ́ yangó wápi? Where did you buy
that basket?

88.   It sometimes replaces /níni/ in questions about
place, being used as an adjective after /esíká/ or /epái/:

Okátí ndɛlɛ na esíká wápi? In what place did
you cut the palm-leaves?

89.   Note the idiomatic use of this interrogative as an expression of incredulity or disgust:

> Okoyâ na bísó ɛlɔngɔ́? Wápi! Will you come with us? No fear!

> Yé moto malámu, bôngó té? He's a good person isn't he?

> Wápi! Don't you believe it!

90.   **Bóní? Bóníbóní?** How? How much? How many?

This interrogative is also head as an adjective and as a pronoun:

> Mɔnénɛ bóní? How big? What size?

> Osombí mbísi óyo motúya bóní? How much did you pay for this fish?

> Nápésa yɔ̌ bóní? How many shall I give you? How much shall I give you?

91.   It is often heard alone as a question with the sense. What's the matter? Bóní?

92.   **Mpɔ̂ níni? Mpɔ̂ na níni?** Why?

These two interrogatives have the same sense but the former is more frequently heard at the beginning of a question:

> Mpɔ̂ níni okátí njeté na ngáí? Why did you cut my tree down?

The latter is heard more frequently at the end:

> Basálí bôngó mpɔ̂ na níni? Why did they do that?

93.   **Mɔkɔlɔ níni? Ntángo níni?** When?

This compound interrogative is usually heard at the end of a question:

> Mokonji akómí ntángo níni? At what time did the chief arrive?

94.   Indirect interrogation. The same construction is used as for direct interrogation but the interrogative is introduced by /sɔ́kɔ́/ = "if", "whether":

> Túná yé sɔ́kɔ́ náni ayéí. Ask him who has arrived.

> Lobélá ngáí sɔ́kɔ́ bajuí bóní. Tell me how many they received.

Luká sɔ́kɔ́ alelí mpɔ̂ na níni. Find out why he cried.

95. Replies to questions. These are often made by repeating all or part of the question as a statement:

Oyébí ndáko na ndeko na ngáí? Do you know my brother's house?

Affirmative reply: Nayébí. I know./ Ɛɛ, nayébí. Yes, I know.

Negative reply: Nayébí tɛ́. I don't know./ Tɛ́, nayébí tɛ́. No, I don't know.

The adverbs of negation or affirmation reinforce the replies. These latter can serve on their own:

Okeí na mbétó? Are you going to bed?

Affirmative reply: Ɛɛ. Yes.

Negative reply: Tɛ́. No.

96. Note, however, that /ɛɛ/ and /tɛ́/ indicate agreement with the implied statement in the question. When this latter is negative, the replies must be translated by what seems the opposite of English usage:

Okeí na mbétó tɛ́? You're not going to bed, are you?

Reply: Ɛɛ means: Yes, that is indeed so, I'm **not** going to bed.

Reply: Tɛ́ means: No, on the contrary, I **am** going to bed.

CHAPTER XIV

VERBS

97. Like nouns and adjectives, verbs are built up of radicals and affixes some of which precede the radical (prefixes) and others follow it (suffixes).

The affixes are of 4 main types:

(a) pronominal prefixes indicating the person and the verb subject. These are the same for all verbs in Lingala:

> **na**-sálí, **I** worked,
> **to**-sálí, **we** worked,
> **e**-kómí, **it** arrived;

(b) tense prefixes or suffixes:

> na-**ko**-sál-**a**, I **shall** work,
> bo-sál-**ákí**, you (plur.) work**ed**;

(c) suffixes indicating habitual action:

> a-sál-**aka**, he **always** works;

(d) suffixes (and one prefix) indicating the form of the verb:

> ba-sál-**élí**, they worked **for** someone,
> ba-**mí**-sál-**élí**, they worked **for themselves.**

98. (a) Most **radicals** have the form C_1VC_2 where V is a vowel and C_1 and C_2 are the same or different consonants:

> -bét- hit,
> -bót- give birth,
> -kɔ́t- enter,
> -ndim- agree,
> -sál- work,
> -sung- help;

(b) A few radicals where C_2 is the semi-vowel **y** produce verbal forms where this disappears in speech and is often absent in written and printed records:

> -bóy- refuse: Babóí maloba na bísó. They rejected our words.

> -kwéy- fall: Bakokwéísa mwána. They will make the child fall down.

> -téy- teach: Yé motéi (=motéyi). He (is) a teacher.

-tíy- put: Natíí (natíyí) mbɛlí na mésa. I put the knife on the table.

(c) A very few radicals have the form   VC :

-ang- deny, -im- grumble, -ók- hear, -út- originate from.

Radical **-ók-** is more commonly heard as **-yók-**; radical **-út-** is sometimes heard as **-wút-**.

(d) Three common radicals are consonantal:

-k- go, -w- die, -y- come.

When tense suffixes are added to these, a vowel **e** is usually heard before them. Compare for instance:

-lob- (speak): nalóbí I spoke, and
-k- (go): nakeí I went,
-w- (die): awéí he died,
-y- (come): nayéí I came.

Note the tone of vowel **e**. Because it is high in the 2 latter verbs we must write the radicals with a high-tone following.

The radical /-líy-/ ("eat") is assimilated by most speakers to this type and we hear:

naléí I have eaten, I ate,

more frequently than: nalíyí. Note the common word for "food": biléí (not bilíyí).

Another consonantal radical -kw- does not add **e** before the past tense suffix:

akwí he obtained recently,
akwákí he obtained some time ago.

99. Most speakers of Lingala respect "vowel harmony" as described in section 10(c) where **o** and **e** in affixes become open **ɔ** and **ɛ** when the radical vowel is open **ɔ** or **ɛ**. Compare, for instance:

tokomélákí bangó, we wrote to them (-kom-, write),
tɔkɔtélákí bangó, we went into them (-kɔt-, go in),

batómbwélí bísó njeté, they lifted up the tree for us,
batɔmbɔkélí mokonji, they rebelled against the chief.

100. Some speakers change final suffix **a** to open **ɛ** or **ɔ** when these are radical vowels:

> ákɛndɛ, let him go,
> kɔmɔ́nɔnɔ, to be seen.

Most speakers however render these: ákɛnda, kɔmɔ́nana.

101. Verb tonal patterns.

These are regular. The verb vowel **V** has a fixed intrinsic tone which is retained in **all** forms of the verb whatever affixes are associated with it.

Pronominal prefixes are low in tone in all forms except the subjunctive where they are always high. Final verb suffixes may be high or low according to their function as tense or mood indicators (see the relevant sections). The intermediate syllables between the radical and the final syllable are high or low according to the tone of this final syllable i.e. they do not have intrinsic tone and can be described as neutral in tone. Note for instance:

> atéléngání, he stumbled:
> > **té** and **ní** have intrinsic high tones,
> > **lé** and **ngá** are neutral but here have high tones because of the final -í.

> akotélèngànà, he will stumble:
> > **té** has a high intrinsic tone,
> > **nà** has a low intrinsic tone,
> > **lè** and **ngà** are both low because of the low final -à.

102. Pronominal prefixes. These are:

	singular:	plural:
1st person	na- I	to- we
2nd person	o- you (s.)	bo- you (pl.)
3rd person	a- he, she	ba- they (persons)
	e- it	i- they (things)

For emphasis, the corresponding pronouns may be heard before the pronominal prefix:

> na-sálákí I worked,
> ngáí nasálákí I, I worked,
> bo-támbólí you (pl.) travelled,
> bínó botámbólí you, you travelled,
> e-kúfí it is spoiled,
> yangó ekúfí it, it is spoiled.

103. Some speakers use the pronoun e- for singular and plural non-personal subjects:

> mokandá eyéí   the books has come,
> mikandá iyéí   the books have come, or
> mikandá eyéí   idem.

104. Speakers who use prefix ba- for noun plurals even when they refer to inanimate objects (section 22(b)) will use the same prefix before the verb radical:

> bandáko bajalí minɛ́nɛ   the houses are big,
> basandúku bajalí áwa tɛ́   the boxes aren't here.

105. Compound subjects which are personal will have pronominal prefix **ba-** before the verb; impersonal compound subjects usually govern prefix **i-**:

> Tatá mpé mamá bakoyâ lóbí. Mother and Father will come tomorrow.

> Kímyá mpé bolingo ikotóndisa mitéma na bísó. Peace and love will fill our hearts.

106. As has already been mentioned (section 101), the pronominal prefixes are LOW in tone for all verbs except the subjunctive mood:

> tolobí   we said,   bakokáta   they will cut.

But pronominal prefixes are always HIGH in tone in the subjunctive:

> tóloba   let us speak,   bákáta   let them cut.

107. **Verb infinitive.**

This has the structure   kò- + R + à   . Note the LOW tones on prefix ko- and suffix -a. Radical R will have a low or high tone according to its intrinsic tonal value.

The infinitive is heard:

(a) as a verbal noun which is invariable:
kobánja   thinking, thought, idea,
kotánga   reading, scripture portion (to be read out).

Kotánga na mwána óyo ejalí malámu kási kokoma na yé ɛbɔ́ngí naíno tɛ́. This child's reading is good but his writing isn't good enough yet.

(b) after verbs of movement, desire, perception:
Ayéí kɔmɔ́na bísó. He has come to us.
Nalingí kɔkɛnda tɛ. I don't want to go.
Bayókí bísó koloba. They heard us talking.

(c) to express a general order, especially in the negative:

> Kotámbola áwa té! Don't walk here! (lit. not to walk here),
>
> Kokakatana té! Not to worry! (as in colloquial English).

(d) to emphasize the action of the verb:

> Alingí kolinga. He wants very much.
>
> Bakotánga kotánga. They will read indeed.

108. The infinitive of verbs with consonantal radical has a falling final tone instead of low-tone -à. This can be conveniently written with a double vowel: koyáa, kowáa, kokwáa. But traditionally a single vowel has been used and this must then take a circumflex accent:

> koyâ, kowâ, kokwâ.

The simple infinitive of radical -k- is not heard. It is replaced by the infinitive of -kɛnd- (travel):

> Nalingí kokɛnda. I want to go.

109. **Verb imperative.** The structure of the simple imperative is R +á :

> Sálá mosálá malámu! Do good work!
>
> Lobá makási té! Don't speak loudly!

110. Used as a question, this negative imperative can be a polite way of issuing an affirmative imperative:

> Túná yé té? Won't you ask him then? i.e. Ask him!

It is sometimes used to indicate exasperation:

> Kamátá té? Lit. Don't take? – Go on, take it man!

111. This simple imperative is often used when addressing more than one person. But there are other forms for the plural which are sometimes heard:

(a) bò- + R + -á   bolobá! speak, all of you!
      bosálá! work!

(b) R + -á- + -nì   lobáni! speak!
      sáláni! work!

112. The imperative of radical -yˊ is irregular in that it always adds a suffix -ak- (cf. section 146) which takes a high tone before final imperative -á:

> yáká! come; boyáka/yákáni! come (all of you!)

Note also the commonly heard usage: máa! (mâ) take!

Indicative tenses. These have special affixes to indicate time differences:

113. **Near past tense.** Structure   vþ- + R + -í   where vp is the verb pronominal prefix.

(a) Here the sense is that of action completed some short time ago:

> Nasálí. I did (some short time ago).
> Akóní ndúnda. He planted vegetables.
> Mwána alukí mosálá. The child looked for work.

(b) It can also have a perfect sense:

> Nasálí mosálá. I have worked.
> Mái esílí. The water has finished.
> Abándí naíno kosála té. He hasn't yet started to work.

(c) With some verb radicals, especially of travelling, it has a present sense:

> Nakeí. I am going (lit. I have gone)
> Tojóngí. We are returning now. (lit. we have returned)

(d) Radicals such as -mɔ́n- (see), -yók- (hear), -ling- (want), -jal- (be), also give verbs with a present sense when this tense is used:

> Ejalí áwa. It is here.
>
> Toyókí bínó té. We don't hear you.
> Moníngá na ngáí alingí koyâ mpé. My friend wants to come as well.
> Nayébí éte abelí maláli. I **know** that **he is** ill.

(e) After /sɔ́kɔ́/ (if), verbs with suffix -í may translate an English conditional sense:

> Sɔ́kɔ́ tɔmelí mái yangó, tokoyóka mpási na njóto. If we drink that water, we shall be ill (lit. feel pain in the body).

114. In narrative, when a verb in the remote past (section 115) fixes the general time of the statement, following verbs are usually heard in this -í tense:

> Akεndákí na jámba mpé amɔ́ní nkéma; abétélí yangó mondóki kási abomí yangó té. He went into the forest and he saw a monkey; he shot at it but didn't kill it.

115. **Remote past tense.** Structure: v̀p- + R + -ákí

(a) This tense describes past events at a time before that for which verbs in -í (near past) are used:

> Tokátáki njeté míngi na elanga elekí. We cut down a lot of trees last year.

> Bankɔ́kɔ na bísó bafandákí na esíká óyo té. Our ancestors didn't live in this place.

(b) With radicals such as -ling-, -yéb-, -jal- (section 113(d)), this tense serves as a near past as well as remote past tense:

> Tatá ayéí sásaípi ndé toyébákí té éte ajuí mpási na njelá. Father has come now but we didn't know that he had trouble on the road.

Compare the following sentences:

> Balingí kokóna mbóto lɛlɔ́. They want to set the seeds today.
> Balingákí kokóna mbóto lóbí. They wanted to set the seeds yesterday.
> Bakátí njeté lɛlɔ́. They cut down the tree today (but earlier than now).
> Bakátákí njeté kala. They cut the tree down a long time ago.

116. Some areas where Lingala is spoken have a remote past tense with suffix -á:

> Nabótámá na mbóka na jámba. I was born in a forest village.
> Akúfá kala. He died long ago.

But the use of this is not wide-spread and most Lingala speakers use the -ákí tense to verbs of this kind: nabótámákí, akúfákí.

117. **The future tense.** Structure: v̀p- + -kò- + R + à. All future actions are described with verbs in this tense:

> Nakoloba na mwána yangó. I will talk to that child.
> Bakobutwa na elanga ekoyâ. They will come back next year (lit. the year that will come).

Note that the final tone of future -y- is a falling glide (cf. the infinitive, section 108). This will also be the case for other consonantal radicals:

> akokwâ   he will obtain,
> ekowâ   it will die.

Consonantal radical-k- does not form a verb in this tense; we must use the radical -kɛnd-:

nakokɛnda tɛ́   I shall not go.

Habitual tenses. Habitual actions can be expressed in Lingala in several ways:

118.   By adding the habitual extension -ak- to the future tense form (see section 146):

> Akoyóka motó mpási na mói. He will have a head-ache in the sun.
> Akoyókaka motó mpási na mói. He always has a head-ache in the sun.

> Tɔkɔkɔ́mba lopango na mpókwa. We shall sweep the enclosure this evening.
> Tɔkɔkɔ́mbaka lopango mɔkɔlɔ na mɔkɔlɔ. We sweep the enclosure every day.

119.   With a verb structure   vp̀- + R + -à .

This is a common verb in proverbs and song. Note the well-known song from which the name for communal work /Sâlóngó/ is derived:

> ísé alónga-o, alinga mosálá. Father always overcomes, he likes work.

It is commonly heard in the negative to describe taboos:

> Tolíya ndúnda yangó tɛ́. We never eat those vegetables.

120.   With the same structure as 119 but with added extension -ak-:

> Babáli bakátaka njeté, básí bakónaka biléí. Men cut down the trees, women plant the food-crops.

121.   With the future tense form in -ko- +-à (see section 124c):

> Bísó tokoloba bôngó. We always say that.

Compound tenses.

122.   Three auxiliary verbs are commonly heard in Lingala:

> -síl- (finish), indicating completed, perfect action;

> -jal- (be), indicating continuous present action; continued action in past and future can be expressed by changing the tense of the auxiliary;

> -ling- (wish, want), indicating imminent action.

123. Verbs with the auxiliary /-síl-/ are useful

(a) To indicate the perfect form:

Basílí kotónga ndáko sikáwa. They have already built the house now.

Tosílí kokoma mikandá. We have finished writing the letters.

(b) To indicate actions described in English with pluperfect or a future perfect tense:

Esíláki bangó kokóma na mbóka, bakeí kɔpésa mokonji mbɔ́tɛ. When they had arrived in the village, they went to greet the chief.

Ekosíla bísó koyémba njémbo, tokobɔ́ndɛla. When we (shall) have finished singing, we will pray.

(c) Many speakers pronounce this auxiliary so rapidly that we hear forms like:

esíasílí / esíesílí   it has finished,
asíayéí   he has come,
asíakomí mokandá   he has written the letter,

where the consonant l of the auxiliary has disappeared and its final -í has been transferred to the second (infinitive) verb.

124. Continuing action is expressed by the auxiliary /-jal-/:

(a) Najalí koloba. I am speaking.
Ajalí koyekola áwa. He is studying here.

(b) Continuing action in the past and the future can be expressed with this same auxiliary by using appropriate tenses:

Ajalákí kofanda áwa na ntángo yangó. He was living here at that time.

Tokojala kosunga yé wâná ekokóma yé. We shall be helping him when he arrives.

(c) Some speakers pronounce this auxiliary in the present tense so rapidly that the consonant l is lost and the final -í also. We hear what sounds like a long vowel:

Naakosála. I am doing (now). Naa = najalí.

Aakoluka mikandá na yé. He is looking for his books. Aa = ajalí.

Tookolinga kolobana na yǒ. We want to talk
with you. Too = tojalí.

Some speakers do not even lengthen noticeably the first
vowel and the form heard is indistinguishable from the
future tense in -ko- + -à (section 117) but the sense is
that of a continual present.

Bísó tokolíya biléí yangó té. We don't eat that
food.

125. Imminent action is expressed by the auxiliary
/-ling-/:

Saáni elingí kokwéya. The plate is about to fall.

Past and future tenses can be expressed by using the
appropriate tenses of the auxiliary:

Saáni elingákí kokwéya, ndé nasímbí yangó na
lɔbɔ́kɔ. The plate was on the point of falling but
I held it with (my) hand.

Sɔ́kɔ́ tokátí njeté lisúsu ekolinga kokwéya. If we
cut the tree further, it will be about to fall.

126. **Subjunctives.** The structure is vp- + R +-à
Note the high tone on the pronominal prefix and the
final low-toned -à.

The final low-toned suffix causes all syllables after the
radical to have **low** tones:

násála   that I may work,
násálelaka   that I may work always for...

tóloba   that we may speak,
tólobelaka   that we may always speak for...

127. This verb form is more commonly heard in
Lingala than the subjunctive form in English:

(a) after verbs of wishing, purpose, command...

Tolingí éte áfanda na bísó. We want him to stay
with us. (lit. we wish that he would stay with us).

Bakání éte bámɔ́na bínó. They purpose to see
you. (lit. they purpose that they should see you).

Conjunction /éte/ may often be ommitted:

Lukélá ngai mokandá, nátánga yangó. Look for
a book for me (so that) I may read it.

(b) to express an imperative in other persons than
the second and in a less peremptory manner than the
construction in section 109:

48

Námóna yé sika. Let me see him now.

Tókɛnda na mbóka. Let's go to the village.

Ósunga ngáí na likambo óyo. Help me (please) with this affair.

Compare the following sentences:

Bóluka makémba na jándo. Look for some plantain at the market (if you don't mind).

Boluká makémba na jándo. Look for some plantain at the market! (and make no mistake, or else...!) (section 111).

(c) to ask permission to do something or question whether something is convenient:

Nájipola lininísa? May I open the window? Shall I open the window?

Tólukela yɔ̌ kíti, ófanda? Shall we find a chair for you so that you can sit down?

(d) A succession of subjunctives is sometimes heard in narrative to express a story in a vivid way:

Akɛnda na ndáko, ájónga na njelá, átámbola mbángo epái na jámba, ábéela kási moto tɛ́. He goes to the house, he returns to the road, he runs into the forest, he calls out but there is no one there.

Conditional form.

128. There is no special construction for expressing a conditional verb. Indicative tenses are used, introduced by /sɔ́kɔ́/ (if) and the principal clause is often introduced by /nde/ (nb **low** tone), /mbɛ/ or /mbɛlɛ/.

Sɔ́kɔ́ alobákí boye nde nayókí. If he has said so I would have heard.

Sɔ́kɔ́ akwéí mbɛ akojoka. If he falls he will hurt himself.

Sɔ́kɔ́ okoyâ lóbí, mbɛlɛ nakomɔ́nisa yɔ̌ elanga na ngáí. If you come tomorrow I will show my garden.

129. The conditional in the past (the hypothetical) is expressed by the same means but tenses indicate the difference in time:

Sɔ́kɔ́ Mamá asáláki elanga na jámba tɛ́, mbɛlɛ bísó bána tokúfí na njala. Had Mother not made a garden in the forest, we children would have died of hunger.

49

Verbal extensions.

Like most Bantu languages, Lingala has a useful way of modifying the fundamental meaning of a verb by adding suffixes to form a longer unit that is called **an extended radical** or **stem**. This then serves to construct tenses and other verb forms just as the simple radical does. Thus, with the radical /-kang-/ (tie up) we can make:

-kangam-   be tied up,
-kangel-   tie up for,
-kangis-   cause to tie up,
-kangan-   be tied together,
-kangol-   untie,
-kangak-   tie up repeatedly.

130. **The causative extension -IS-:**

Namóní tatá na mwána. I saw the father of the child.
Namónísí mwána tatá na yé. I showed the child his father. (lit. I caused the child to see his father).

Bayéí bangó mpenjá. They came on their own.
Bayéísí baníngá na bangó ɛlɔngɔ́. They brought their friends with them. (lit. They made their friends come with them).

131. Note that the causative form of radical /-sál-/ (do, work) has a special meaning in some contexts:

Nasálísí bána mosálá makási. I made the children work hard.

Mónganga asálísí moto na maláli. The doctor **treated** the patient.

This same root has a further idiomatic usage in connection with pain:

Lokolo na ngáí esálí ngáí. My leg hurts. (lit. is "doing" me).

132. **The causative extension OL-:**

A number of Lingala radicals have the structure CVCw, where the second consonant is compounded with the semi-vowel **w**. Some of these form their causative with extension -IS- as in the previous section:

-kamw- (be astonished)
-kamwis- (astonish) Akamwísí bísó na maloba na yé. He astonished us by his words.

-pombw- (fly, jump)
-pombwis- (make to fly) Mbwá agbómí mpé apombwísí ndɛkɛ yónsɔ. The dog barked and made all the birds fly away.

133.   But many of these radicals add a causative -OL-
instead of extension -IS-:

-longw- (depart)   Basalí balongwí na midí. The
workmen left at midday.

-longol- (take away)   Basálí balongólí matíti.
The workmen took away the weeds.

-jipw- (be open)   Lininísa ejipwí. The window
is open.

-jipol- (open)   Ájipola lininísa. Let him open
the window.

Common verbs with causative -OL- are:

-bétw- come to (after fainting),
-bóngw- turn over, change,
-fungw- be unlocked,
-jéngw- be turned over,
-lubw- come up river-bank, come out of a hole,
-pambw- be happy, blessed,
-pasw- be slit, cracked,
-pɛngw- be off course,
-sémbw- be stretched out,
-sikw- be free.

Some of these may have causatives in both -IS- and -
OL- e.g. -pɛngw-.

134.   Note that the presence of a suffix -IS- or -OL-
does not always imply that the verbs have a simple
radical without them. The following verbs are among a
number whose unextended radical is never heard:

-balol- turn over,
-kanis- remember,
-lendis- strengthen, encourage,
-limbol- explain, reveal,
-pekis- prevent,
-sanjol- praise,
-sɔkis- humble,
-támbol- travel.

135.   **The application extension -EL-:**

The extension -EL- (-ɛl- after an open ɛ or ɔ radical
vowel) indicates that the action described by the verb is
done on behalf of or to someone. In some areas
(notably the Upper River) speakers use it to show that
the action is done in association with a place.

-sál- work, -sálel- work for, on behalf of...
-lob- speak, -lobel- speak for, to...

Asálélí molakisi mosálá na elanga na yé. He
worked for the teacher in his garden.

Balobélí bísó libosó na mokonji. They spoke for
us before the chief.

Óyo saáni na kolíyela biléí. Here is a plate to eat
food off. (Upper River construction).

Note that verbs with this extension may have 2 objects.
The applicative object (usually a person) follows the
verb immediately:

Akomélí ngáí mokandá. He wrote me a letter.
Kátélá yé njeté. Cut a stick for him. (Cut him a
stick).

136.   Radicals of the form C_1VC_2 where C_2 is the
consonant l usually drop the l when the applicative is
added:

-lel- (cry) Bána bajalí koleela mamá na bangó.
(-lelel- gives -leel-) The children are crying for
their mother.

Similarly for verbs in which the final syllable is the
extension -ol-:

Tokangóli ntaba. We untied the goat(s).
Tokangwélí bínó ntaba. We untied the goat(s)
for you. (-kangolel- gives -kangwel-).

137.   As mentioned earlier (section 135), this
applicative extension has a locative connotation in
some areas e.g. in the Upper River:

-tíy- (put), -tíyel- (put on, in) sandúku kotíyela
mikandá, a box to put books in.

-mɛl- (drink), -mɛɛl- (drink from) kɔ́pɔ kɔmɛɛla
mái, a cup to drink from.

But this form is not heard all over the Lingala-speaking
field.

138.   **The associate extension -AN-**

This extension adds the idea of association or of
reciprocal action:

-tál- (look), -tálan- (look one at the other, be
opposite to)

Ndáko na ngáí etálání na ndáko na yé. My
house is opposte his. (looks at his)
Nabunání na bangó. I fought with them.
Atíyání ntembé na ngáí. He disputed with me.
Basálání na bísó mosálá malámu. They did good
work together with us.

139. The same extension frequently carried a stative idea, as in -tálan- above:

-búk- (break), -búkan- be broken,
-kát- (cut across), -kátan- be broken (e.g. string)
-sop- (spill), -sopan- be spilled, poured out,
-mɔ́n- (see), -mɔ́nan- appear, be seen,
-yéb- (know), -yéban- be known, understood,
-yók- (hear), -yókan- be heard.

140. Some speakers use -ɛn- and -ɔn- for this reciprocal extension with radicals having ɛ and ɔ as the radical vowel:

-kɛsɛn- instead of -kɛsan- (differ, lit. go away from one another),

-tɔbɔn- instead of -tɔban- (burst open).

Lángi óyo ɛkɛséní na yangó. This colour is different from that.

Lokolo na kaminyɔ esílí kɔtɔbɔna na njelá. The lorry tyre burst on the road.

141. **The extension -AM- (passive)**

Like most Bantu languages, Lingala uses active verbs more frequently than passives but the latter can be formed by adding **-am-** to the radical:

-lob- (speak) Likambo yangó elobámí lóbí. That affair was talked about yesterday (as in court).
-kát- (cut, decide) Nsinga ekátámí. The cable has been cut.

Note the difference expressed by this extension here:

Nsinga ekátámí. The cable has been cut (someone is responsible).
Nsinga ekátání. The cable is broken (but we are accusing no-one of cutting it).
Mbéki epaswámí. The pot is cracked (someone did it).
Mbéki epaswání. The pot is cracked (well, well! How did that happen? We're not accusing anyone, mind!)

142. **The reversive suffix -OL-**

A small group of transitive verbs with a general sense of "hide, close" form verbs with the opposite meaning by adding extension **-ol-**. The commonest are the following:

-fung- lock up; Fungá ekuké. Lock the door!

-fungol- unlock; Fungólá ekuké. Unlock the door!

-jip- shut; Nájipa lininísa? May I shut the window?

-jipol- open; Nájipola lininísa? May I open the window?

-kang- tie up; Tokangí mbwá makási. We tied the dog up tightly.

-kangol- untie; Kási bato bayéí kokangola yangó. But people came to untie it.

-kund- bury; Mbwá ayébí kokunda mikwa milingí yé kolíya. A dog knows how to bury bones he wants to eat.

-kundol- exhume; Akoyá nsima kokundola yangó. He will come later and dig them up.

-pik- stick in; Topikí njeté na lopango. We stuck stakes in the fence.

-pikol- pull up; Bato bayéí na butú kopikola njeté. People came in the night to pull the sticks up.

143.   Most of these reversives in **-ol-** have a stative form associated with them in **-o-** (realised as **w** before suffix -a or -i):

-jipw- be open; Lininísa ejipwáki. The window was open.

144.   Some verbs with an extension -ol- are not associated with a simple radical CVC without it, but we include them in this category because other forms are known which have the non-reversal radical:

-bákis- fix, attach; Míbalé bákísá mínei ekokí motóbá. $2 + 4 = 6$

-bákol- unstick, undo; Bákólá lokásá lokangámí na etutú. Unstick the paper that is fixed to the wall.

145.   But many verbs with extension **-ol-** do not have a reversive connotation:

-bambol- light (fire),
-bétol- bring round (make conscious),
-bɔkɔl- bring up, rear,
-kabol- divide,
-kolol- shave hair,
-kɔ́ngɔl- gather up,
-mekol- imitate,
-nyɔ́kɔl- persecute,

-sikol- free, redeem,
-solol- converse, (= -sool-),
-sɔsɔl- recognize,
-tómbol- raise, hoist,
-tɔ́ndɔl- set in line,
-túmbol- punish,
-túmol- provoke,
-yekol- learn.

146. The repetitive extension -AK-

This has already been mentioned (section 120). It is not used with past tenses but is commonly heard with the infinitive:

> Nalingí koyókaka njémbo yangó. I want to hear those songs again and again.

It is also heard with the imperative:

> Bétáká lisúsu mpé lisúsu. Keep on hitting again and again.

With the future:

> Tokosálaka mɔkɔlɔ na mɔkɔlɔ. We shall work every day.

With the subjunctive:

> Atálaka malámu. Let him keep on looking carefully.

147. An extension -AL- is heard rarely with a stative idea:

> -tík- (leave) gives -tíkal- (remain behind, stay).

> Nakeí kotíka moníngá na njelá. I am going to take my friend on the way (and leave him to go on).

> Moníngá atíkálí na ndáko. My friend stayed behind in the house.

> -léndend- (not used but attested from nouns like moléndé) strength, -léndendal- (persevere):

> Bayekoli baléndéndálí na mosálá na bangó. The pupils persevered in their work.

148. The reflexive extension -MI-

This differs from all the other extensions in that it **precedes** the radical. It is the same for all persons of the verb:

> Nasílí komíjokisa lokolo. I have wounded my leg. (lit. wounded myself (in) the leg).

> Bamítíyí libosó na mɔlɔngɔ́. They put themselves at the head of the line.

55

Amílobélí libosó na mikóló. He spoke for himself in front of the elders.

The reflexive idea may be emphasized by adding a pronoun:

Nakomísunga ngáí mɔ́kɔ́. I will help myself.
Tíká té éte ómíkúmisa yɔ́ mpenjá. See that you don't praise yourself.

149. Radical reduplication

Radicals are sometimes reduplicated to give a sense of extensive action or action to no purpose:

-lob- (speak) gives -lobalob- (jabber, gossip)

Moto na elémá ajalí kolobaloba mpámba. The mad person is jabbering away to no purpose.

-luk- (seek) gives -lukaluk- (seek in vain)

Tolukálúkí bínó téé ndé tɔmɔ́ní bínó té. We looked and looked for you a long time but we didn't see you.

150. Note that a radical tone with intrinsically **low** value is raised to a high tone because of the final syllable where this is high i.e. the intrinsic high tone of the second radical behaves as an extension tone and not a fixed radical-tone.

151. **The order of extensions.** The order in which extensions are used may depend on the meaning to be conveyed:

Amɔ́nánísí mikonji mɔ́kɔ́ epái na mosúsu. He got the chiefs to appear to one another.

Mikonji bamɔ́nísání. The chiefs showed themselves to one another.

-IS-, -EL- and -AK- are usually heard in that order:

Ajóngísélí bísó mɔnɔkɔ. He answered us. (lit. he made the word to come back for us).

Akɔmɔ́nisɛlaka bangó bilílíngi. He always shows them pictures.

152. Many Lingala verbs have obvious extensions but the non-extended radicals are not used:

-ángan- (deny),
-bilingan- (totter),
-lambasan- (assume an innocent air),
-pekis- (prevent)-
-télengan- (stumble),
-tingol- (explain),

-yɔngɔtan- (be crooked),
-yongel- (sieve, strain).

Note also the meaning of the following which is not immediately evident from the extension significance.:

-bukanis- (avenge),
-kanisel- (remind),
-yókamel- (listen).

Fluent speakers of Lingala should be consulted when in doubt about the existence in the spoken language of verb forms showing extensions.

153.   It is worth repeating the remark about extension tone already made in section 101. Verb extension -MI- (reflexive) is always heard on a **high** tone.

All other extensions are **neutral** in tone. The tones they assume in speech depend on the final tone of the verb suffix. When the latter is high (as in past tense -í) extension tones are high also; when the latter is low (as in the infinitive, the subjunctive) then the extension tones are low.

> Basodá bapalángánísélí mokonji batɔmbɔki yɔ́nsɔ. Soldiers dispersed on behalf of the chief all the rebels.

> Basodá bakopalanganisela yé batɔmbɔki. Soldiers will disperse the rebels for him.

154.   **Other auxiliary verbs.** Three common auxiliaries used to describe imminent, completed and continuing action have already been described (sections 122-125). Three others are used to indicate ability and obligation:

/-yéb-/ (be capable because of knowing how):

> Ayébí kosála mosálá yangó mpɔ́ tatá alakísákí yé. He knows how to do that job because (his) father taught him.

155.   /-kok-/ (be capable because of opportunity and/ or strength):

> Akokí kosála mosálá yangó mpɔ́ ajalí na nguyá míngi. He can do that job because he is very strong.

Used with impersonal prefix **e-**, the sense is one of obligation:

> Ekokí na bísó kotíkala áwa. We shall have to stay here.
> Ekokí na yé kɔtékisa ntaba na yé té. He mustn't sell his goat.

156. /-bɔ́ng-/ (be right):

Ebɔ́ngí na bangó kotósa malako na mbóka. They ought to obey the rules of the town.

Bána básí babɔ́ngí kobátela bána miké. Girls are fit to look after small children.

157. **Obligation** may also be expressed in other ways:

(a) Malámu éte nákɛnda. Malámu na ngáí kɔkɛnda. I ought to go. I must go.

(b) Likambo na yɔ̆ koyókamela bísó. It's your duty to listen to us.

(c) Ífô básála nɔkínɔkí. They must do (it) straight away.

(nb /ífô/ is a transliteration of French: "il faut").

CHAPTER XV.

ADVERBS

A list of common adverbs in Lingala includes the following:

158. (a) quality and manner:

   bôngó (bóongó), so in that way
   boye, so, in this way
   bɔbélé, only
   ɛlɔngɔ́, together
   lokóla, like, also
   mpámba, in vain, free
   pelamɔ́kɔ́, like, similarly

Composed forms:

   na mɔí na mɔí, slowly, carefully
   na ɛsɛngɔ, happily

   (b) place:

   áwa, here
   esíí, mosíká, far away
   katikáti, within
   kúná, there, over there
   pɛmbéni, alongside
   pɛnɛpɛnɛ, nearby
   wâná, in that place there

Composed forms:

   epái na epái, everywhere
   na libándá, outside
   na libosó, in front, ahead
   na likoló, above, up-river
   na ngɛlé, down-river
   na nsé, below
   na nsima, behind.

   (c) time:

   bɔbélé, once for all
   kala, kalakala, long ago
   lɛlɔ́, today
   libélá, for ever
   libosó, before, earlier
   lóbí, tomorrow, yesterday
   naíno, again, yet, still
   ndélɛ, day after tomorrow, day before yesterday
   sásaípi, now
   sékó, sikáwa, now, at this moment
   téé, for a long time

Composed forms:

>mɔkɔlɔ na mɔkɔlɔ, every day
>mikɔlɔ yɔ́nsɔ, always
>ntángo yɔ́nsɔ, at all times
>ntángo mosúsu, sometimes

(d) quantity and repetition:

>mɔkɛ́, mɔkɛ́mɔkɛ́, a little
>míngi, much
>mwa (mwá), rather, a little
>lisúsu, again
>mbala míngi, often, frequently
>mbala na mbala, now and again

(e) affirmation and negation:

>ɛɛ, yes (no)
>nˋń, no (yes)
>tɛ́, no (yes)
>to, either, or
>sɔ́kɔ́, perhaps, about (size, numbers)
>sɔ́lɔ́, indeed, truly

Note that the meaning of ɛɛ, nˋń, tɛ́ depends on whether the questions to which they are replies are affirmative or negative (see sections 95 and 96).

(f) ideophones (completive adverbs). Like other Bantu languages, Lingala often adds words to emphasize the meaning of a verb which sounds like the action described:

>kofanda téé, to sit down a long time
>kojala nyɛ, to be quiet, motionless (nb low tone)
>kokwéya kpuu, to fall down bump
>kosíla nyɛ́, to finish completely (nb high tone)
>kotámbola ngánjálánganjala, to waddle
>kotámbola kpákátákpákátá, to walk like
>>a monkey
>kotána ngbaa, to shine brilliantly
>kotála píí, to look fixedly, intently
>kɔtɛ́lɛma ṇgwí, to stand up straight
>kotónda maa, to be quite full up

Such completive adverbs are also heard after some adjectives:

>mɔnɛ́nɛ bɛ, very big
>mpɛ́mbɛ́ pɛɛ, very white
>molílí tuu, thick darkness

60

159. Adverbs usually follow the verbs they qualify but **té** is mostly heard at the end of a statement:

> Tokeí té. We didn't go.
>
> Tokeí na mbóka na bísó na mpókwa té. We didn't to to our village in the afternoon.

160. **naíno té** ("not yet") This expression is often split up:

> Akómí naíno té. He (she) hasn't arrived yet.
>
> Akómí naíno na makémba na yé té. She hasn't yet arrived with her plantains.
>
> Naíno akómí na makémba na yé té.   idem.

161. **bɔbélé** ("only").

(a) This adverb usually precedes the word it qualifies:

> bɔbélé mɔké, only small
> bɔbélé boye, only so, just that
> bɔbélé kwanga, only manioc bread
> bɔbélé bísó, only we, we by ourselves.

(b) It is sometimes heard after a verb and then indicates "once and for all":

> Alobí bɔbélé. He (she) spoke once and for all.
>
> Tokangí ntaba bɔbélé. We tied up the goats – and that's the end of it.

To express "only" with a verb, we must add the emphatic infinitive:

> Alobí bɔbélé koloba. He only spoke (and did nothing else).

162. **Comparison of adverbs.** As for adjectives (see section 41), adverbs can be compared by using verbs **-lek-** and **-pus-**:

> Yɔ́ olekí yé na koloba sémbó. You speak more truthfully than he. (lit. you surpass him in speaking truthfully)
>
> Bangó bapusí koyémba kitɔ́kɔ. They sing best.

CHAPTER XVI.

PREPOSITIONS

163. Lingala **na** serves to indicate what other languages express with prepositions. Its actual meaning is discernable from the context:

> akeí na ebalé, he went **to** the river
> akwéí na mái, he fell **into** the water
> afandí na kíti, he sat **on** a chair
> ajalí na ndáko, he is **in** the house
> ajilí ngáí na kalási, he waited for me **at** school
> ayéí na mbɛlí, he came **with** a knife
> yé moto na makási, he (is) a person **of** strength.

164. /na/ together with the verb /-jal-/ serves to express the verb "to have" of many languages:

> Ojalí na mái na kɔmɛla? Do you have any drinking-water?

165. It is also heard in compound prepositions:

In these compound forms the /na/ within brackets -(na) is often omitted by Lingala speakers.

> káti na, inside
> (na) nsé na, beneath
> likoló na, above, up-stream of
> (na) libándá na, outside
> (na) libosó na, in front of
> (na) ngɛlé na, down-river of
> (na) nsima na, behind
> mbóka na, towards
> lokóla na, like, similar to
> pelamɔkɔ na, concerning
> mpɔ na, about, because of
> longwá na, since
> utá na, from, originating in

Note also the preposition kíno, as far as (place), until (time).

CHAPTER XVII.

CONJUNCTIONS

166.   We can list the principal conjunctions in Lingala as follows:

> átâ, even though, even if
> éte, that, in order that
> jambí, because
> kíno, until, as far as
> lokóla, like, as
> mpámba té, because
> mpé, and, also
> mpɔ́ éte, because
> na, and
> ntína éte, so that, because
> pelamɔ́kɔ́, similarly, as
> sɔ́kɔ́, if, whether, or
> sɔ́kɔ́...sɔ́kɔ́, either...or
> tó, or
> tó...tó, either...or

167.   Note that the common English conjunctions "when", "before", "after", "while".... are expressed in Lingala by the inverted form of the verb (with prefix e- and the subject of the clause after the verb):

> Ekómí ngáí na mbóka, namɔ́ní baníngá na ngáí.
> When I arrived at the village, I saw my friends.

> Naíno ekwéí njeté té, nkéma asílí kolongwa.
> Before the tree fell, the monkey had gone away.

> Esílí fwatíli kɔtélɛma, ebelé na bato bayéí mbángo. After the car had stopped, a crowd of people gathered quickly.

> Wáná eyémbí bána miké, bísó yɔ́nsɔ toyókí ɛsɛngɔ mɔnɛ́nɛ. When the little children sang, we all of us were happy.

CHAPTER XVIII.
NOUN DERIVATION

168.   A whole family of nouns can be formed from any one radical by adding prefixes and suffixes to it. Extensions added to the radical as explained in sections 130-53 make the range of meaning for such derived nouns very wide. But note that few radicals generate all the possible forms and newly derived words should be checked with Lingala speakers before being tried. The commonest forms are as follows:

169.   **The agent.** Noun structure: mò- + R + -i   (note the LOW-tone suffix).

> mosáli, workman
> molobi, speaker
> moyémi, potter
> mobáteli, guardian
> mobáli, husband, male
> mobálani, bride
> motángi, reader
> mobíkisi, saviour

The pronominal prefix is LOW in tone and the low tone of the final syllable brings down the tones of any extensions after the radical.

Plurals of these nouns have **ba-** for prefix (occasionally we hear /mibáli/ for males as an alternative form for /babáli/ :

> basáli, workmen
> babáteli, guardians
> batángi, readers

Note the tonal distinction between nouns for agents and the verb in the near past tense:

> basáli, workmen
> basálí, they did
>
> balobi, speakers
> balobí, they said
>
> bakangami, prisoners
> bakangámí, they were tied up
>
> bakátatali, paralytics
> bakátátálí, they were (are) paralysed

170.   **The instrument.** Noun structure: è- + R + -èli (note the LOW suffix tone)

> esáleli, tool (thing to work with)
> ekomeli, writing instrument (pen, pencil, stylus)
> epímeli, measure, standard

eláleli, bed, couch

Note that these nouns are only distinguishable by tone from verbs in the near past tense which have an applicative extension:

> Esálélí ngáí yé... When I served him...
> Ekomélí yé bísó mokandá... When he wrote us a letter...

171. **Manner of action.** Structure: è- + R + élí
Note the HIGH tone of the suffix.

> ekomélí, way of writing, signature
> etámbwélí (etámbólélí), gait, behaviour
> ejalélí, customary behaviour
> elobélí, accent, manner of speaking.

The high-toned suffix -í raises the tone of the extension **-el-** so that the noun is indistinguishable tonally from the verb with applicative extension in the near-past tense. The sentence context will, however, usually make it clear which meaning is intended.

172. **Place of action.** Structure: è- +R + èlò . Note the LOW-tone suffix.

> esanelo, recreation ground, sports-field (-san-, play)
> elálelo, bed-room (-lál-, lie down)
> ebutelo, ladder, steps (-but-, climb)
> etutelo, mortar, threshing-floor (-tut-, pound)

173. **Action.** Different nouns can be formed to describe actions of several different types:

(a) the infinitive may be used as a noun:

> koloba na yé, his speech, his speaking
> kɔlɔkɔta, something picked up, treasure-trove;

(b) an active form of the noun has the structure: lì- + R + -í

> lifútí, payment, wages
> lipambólí, blessing
> limemí, respect
> lisímí, admiration
> litóndí, fullness
> litóndí, thanks, gratitude
> litɔngí, slandering
> likanísí, thinking, ideas;

(c) a passive form of the noun has the structure: lò- + R + ò

lotómo, errand, duty
loyémbo, song, hymn
lobíko, healing, salvation
lobánjo, thought
lɔkɛndɔ, journey

Plurals of some of these nouns are not heard. Others form their plurals in class 10:

njémbo, songs
ntómo, errands;

(d) a few verb radicals add a nasal prefix and suffix -à (low-tone):

ndakisa, teaching, example, pattern (-lakis-, teach)
ndingisa, permission (-lingis-, make to wish)
ndimbola, explanation (-limbol-, explain).

Note how the nasal prefix changes the radical consonant to **d**;

(e) action to no purpose is often expressed by the structure: è- + (R + à)^2

endimandima, superstition (futile belief) (-ndim-, agree)
elobaloba, garrulity.

The prefix **bi-** is often heard with these nouns:

bisálasala, futility.

174. **Abstract qualities.** Structure: bò- + **R** + ò,ì,à (note low-toned suffix):

bobina, dance
bobóto, kindness
bojindo, depth
bojito, weight
bojui, wealth
bolingo, love
bosenga, need
botósi, obedience
bɔkɔnɔ, illness, infection
bɔlɛmbu, weakness, ease, softness

175. Many other common nouns have differing prefixes and suffixes from those shown in the structures mentioned:

mosálá, work
liloba, word
elaká, promise
ndɔ́ki, witchcraft.

CHAPTER XIX.

SYNTAX

Lingala speakers put words together into meaningful sentences in many different ways. We can conveniently group them according to the number of verbs they possess.

176. **Sentences without verbs.** These are commonly heard in Lingala as in most spoken languages. We may hear **isolated words,** especially in answer to questions. All categories of words may be involved except prepositions and conjunctions:

> Elɔ́kɔ níni na lɔbɔ́kɔ na yɔ̌? Mbɛlí. (noun)
> What thing (is) in your hand? A knife

> Motíndo níni na mbɛlí? Mɔpɔtu. (adjective)
> What kind of knife? Sharp.

> Mokóló na mbɛlí yangó náni? Ngáí. (pronoun)
> Who (is) the owner of that knife? I.

> Ojalí na mbɛlí bóní? Mísáto. (numeral)
> How many knives have you? Three

> Osepélí na mbɛlí na yɔ̌? Míngi. (adverb)
> Are you pleased with your knives? Much.

> Okɔpésa ngáí mɔ́kɔ́? He! (interjection)
> Will you give me one? What!

177. Sentences without verbs but with more than one word may be answers to questions but a great deal of Lingala discourse is made up of statements without verbs also. Note the following types which are acceptable as sentences heard as complete utterances:

(a) question answers:

> Okómí ntángo níni? Na mpókwa.
> When did you arrive? This evening.

> Oyéí koluka mikandá? Mikandá té kási bilambá.
> Have you come to seek books? Not books but clothing;

(b) with interrogatives:

> Wápi ndáko na yɔ̌? Where (is) your house?
> Banáni káti na bwáto? Who (are) in the canoe?
> Elɔ́kɔ níni oyo? What (is) this thing?

(c) with demonstratives:

Óyo mbɛlí na ngáí. This (is) my knife.
Yangó mbɛlí na ngáí tɛ́. That (is) not my knife.
Kilíyo óyo malámu tɛ́. This pencil (is) no good;

(d) as exclamations:

Mái kitɔ́kɔ míngi! (What) very nice water (that is)!
Ndáko molaí mpenjá! How tall the house (is)!
Moto makási sɔ́lɔ́! The person (is) indeed strong!

178. Sentences with one verb only.

(a) the verb may be heard on its own:

Bakeí. They went.
Tɔ́kɛnda! Let's go!
Esílí. It's over.

(b) often the subject of the verb is expressed:

Bato bakeí. The people went.
Mái na molangi esílí. The water in the bottle is finished.
Njeté na malála ekwéí. The orange tree has fallen down.

(c) The verb may be accompanied by one or more objects:

Mwána mobáli abwákí libángá. The boy threw a stone.
Abwákélí ndɛkɛ libángá yangó. He threw that stone at a bird.
Abwákélí ndɛkɛ libángá bɔbélé lɛlɔ́. He thew the

stone at the bird today.

179. Direct and indirect objects. The addition of extensions to the verb radical often makes it possible for the verb to have more than one object. For instance:

Nakomí mokandá. I wrote a letter. One object is heard: /mokandá/

Nakomélí bínó mokandá. I wrote a letter to you. Two objects: /mokandá/ and /bínó/.

In English we speak of "letter" as the direct object and of "you" as indirect because the former is linked directly to the verb while the latter has a preposition ("to") before it.

In Lingala, however, the /-el-/ extension to the verb carries the prepositional idea into the verb and we cannot speak of /bínó/ as "indirect" because it has no Lingala preposition before it.

Similarly with the extension /-is-/:

> Alakísí mwána mosálá na mabáyá. He taught the child carpentry.

Both /mwaná/ and /mosálá/ are direct objects of the verb /alakísí/.

180.   Secondary objects. A few verbs are followed by nouns or pronouns which are not objects in the sense of section 179 but help to explain the meaning of the verb:

> Mamá abɛlí **maláli.** Mother is ill. (lit. Mother is sick of an illness).

> Mwána na bísó abimí **kongoli.** Our child is ill with measles. (lit. our child has erupted measles)

> Mbɛlí óyo ɛkɔtí **mabángá.** This knife is rusty. (lit. has entered rust).

A similar construction is heard in the expression used for a widow that seems "wrong way round" to western ears:

> mwásí akúfélí mobáli (lit. a woman who has died to her husband).

Sentences with more than one verb.

181.   These may be simply juxtaposed without conjunctions between them. This is often heard in story-telling where the speaker pauses between each sentence:

> Mobéngi-nyama amɔ́ní mbólókó, atómbólí likongá, abwáki yangó, ɛkɔ́tí na njóto na nyama, nyama akwéí kpuu!
> The hunter saw an antelope, he raised his spear, he threw it, it pierced the animal's body, the animal fell bump!

Tone levels are maintained throughout each sentence-section until the end when the final cadence is heard.

182.   Two or more sentences of equal status may be joined by conjunctions:

> Tolongólí bilambá na bísó mpé tomíbwákí na mái. We took off our clothes and we threw ourselves into the water.

Sɔ́kɔ́ tɔkɔkɛnda na makolo, sɔ́kɔ́ tokotíola ngɛlɛ́ na bwáto. Either we shall travel on foot or we shall drift down-river in a canoe.

Tonal melody is heard as in section 181 – there is no final cadence at the end of sentence units except for the very last one.

183. One or more clauses may be subordinate to a principal clause.

(a) **Conditional** sentences have a subordinate clause introduced by /sɔ́kɔ́/, "if".

Tokoyéba ntína na likambo óyo sɔ́kɔ́ ndeko na bísó akoyâ. We shall know the meaning of this affair if our brother comes.

The subordinate clause may be heard first:

Sɔ́kɔ́ tatá abomí mbísi, tokolíya malámu na mpókwa. If father has caught some fish, we shall eat well this evening.

When the principal clause does come afterwards, it is often introduced by /nde/ or /mbɛ/ or mbɛlɛ́/:

Sɔ́kɔ́ nakoyóka nkómbó na yɔ̌, mbɛ nakoyébisa yɔ̌. If I hear your name, I will let you know.

(b) **Hypothetical** sentences have a similar form but the tense is past:

Sɔ́kɔ́ bwáto etíólákí ngɛlɛ́, nde nayébísí mokonji mbángo. Had the canoe drifted down-river, I would have told the chief quickly.

(c) **Temporal** clauses often have the verb in the inverted form (section 167):

Ɛmɔ́ní bísó éte ojalí na ndáko tɛ́, bísó mpé tolongwí. When we saw that you weren't in the house, we left as well.

Elingákí molangi kokwéya, mamá asímbí yangó makási. As the bottle was about to fall, mother held on to it tightly.

More precise translation of "time when" can be rendered by /wânâ/ or /ntángo/:

Bato baleláki míngi wânâ eyákí nsango na mawa. People cried very much when the sad news came.

Ntángo ekokóma bísó na mbóka, tokofanda na kímyá. When we get to the village, we shall sit down quietly.

Note that some Lingala speakers do not use the inverted form after these adverbs and we hear:

> Ntángo tokokóma na mbóka...
> Wâná nsango na mawa eyéí...

(d) **Purpose** sentences. These are introduced by /mpɔ́/ or /éte/; the verb in the subordinate clause is usually in the subjunctive form:

> Kɛndá na mbóka éte ósunga tatá na yɔ̌. Go to the village so as to help your father.

> Mikóló balingí kotúna yɔ̌ makambo mpɔ́ báyéba makanísí na yɔ̌ mɔ́kɔ́. The elders want to ask you questions so that they may know your own ideas.

The subordinate form of the verb may be sufficient to indicate purpose without using a special conjunction:

> Lukélá ngáí sóka, nákátela yɔ̌ njeté milaí. Look for an axe for me (so that) I can cut tall trees for you.

(e) **"Even if"** clauses. The introductory word is /átâ/:

> Átâ baníngá bajalí na bísó ɛlɔngɔ́ tɛ́, tokolíya elámbo sika. Even though the friends aren't with us, we shall eat the feast now.

> Nkínga etámbólí mbángo átâ lokolo na nsima ejángí mɔpɛpɛ. The cycle travelled fast even if the back wheel lacked air.

(f) **"Whether"** clauses are introduced by /sɔ́kɔ́/:

> Nayébí tɛ́ sɔ́kɔ́ mbúla ekoyâ sɔ́kɔ́ tɛ́. I don't know whether it will rain or not.

> Túná bangó sɔ́kɔ́ balingí koyâ lóbí. Ask them whether they want to come tomorrow.

184. **Direct speech.** Spoken words are often introduced by /éte/:

> Tatá alobí éte: Nakɔkɛnda na jándo kosómba mbísi. Father said: I am going to the market to buy fish.

The introductory /éte/ may, however, be omitted: Tatá alobí: Nakɔkɛnda... Frequently also the verb "say" is omitted and we hear:

> Tatá éte: Nakɔkɛnda na jándo...

Note that the principal clause always comes first in direct (and indirect) speech. European language order in these constructions is not followed. For instance:

"I didn't see my Father at the market," said the boy, "but I will go again and look for him"

will be rendered:

Mwána alobí éte: Namɔ́ní tatá na ngáí na jándo té, kási nakɔkɛnda lisúsu koluka yé.

"You are my people," says the Lord. Nkóló alobí: Bínó bojalí bato na ngáí.

185. **Indirect speech** (reported speech). This is much less frequently heard than direct speech in Lingala. It is usually introduced by /éte/ but this may be omitted by some speakers.

Tatá alobí éte akɔkɛnda na jándo kosómba mbísi. Father said he would go to the market to buy some fish.

Eyákí mpela na elanga elekí, bato na mbóka balobí ete bakotíkala áwa té. When the floods came last year, the villagers said they wouldn't stay here.

186. Note in these examples that the tense in the subordinate clause in indirect speech is the same as that which would be used in giving direct speech i.e. it is always relative to the thought at the time a statement was made. This is equally true of subordinate clauses following verbs of knowing, thinking, seeing:

Nakanísákí éte mwána **ajalí** áwa. I thought the child was here.

Bamɔ́nákí éte **nakokí** mosálá yangó té. They saw I couldn't do that job.

Toyébáki ntángo yangó éte **akojónga.** We knew at that time that he would be going back.

187. **Negation.** The position of the negative particle /té/ in principal clauses must be noted. When the subordinate is preceded by a conjunction, /té/ precedes this:

Toyébáki té sɔ́kɔ́ ókeí wápi. We didn't know where you had gone.
Naíno amɔ́ní té éte tokómí. He hasn't yet seen that we have arrived.
Nakɔkɛnda té kíno ekoyâ yé. I shan't go until he comes.

If the subordinate is not introduced by a conjunction, the negative particle is heard at the end of the whole sentence:

> Nayébí esíká ejalákí yǒ té. I don't know the place where you were.

/té/ will also be heard at the end when it is the subordinate clause that is negative. Compare for instance:

> Toyébákí té éte batóngí Ndáko na Njámbé na mbóka óyo. We didn't know they had built a church in this town.

> Toyébákí éte batóngí Ndáko na Njámbé na mbóka óyo té. We knew they hadn't built a church in this town.

RULES FOR SPEAKING CORRECT TONAL PATTERNS IN LINGALA

	Grammatical categories:	Are LOW in tone:	Are HIGH in tone:
1	roots:	about 50% – they must be learned by heart.	about 50% – they must be learned by heart.
2	noun prefixes:	almost all.	a few exceptions like – mónganga, líbenga... rarely the result of elision with a high-toned vocalic root: líso (li + íso), míso, líno.
3	noun suffixes:	agent, instrument, place, passive action, result... Others must be learned by heart.	manner, active action... Others must be learned by heart.
4	verb prefixes:	future -ko-, all pronominal prefixes in forms other than the subjunctive.	reflexive extension -MI-, pronominal prefixes in the subjunctive form.
5	verb suffixes:	infinitive, future, all habitual forms, subjunctive.	imperative, immediate past, remote past.

Are INDETERMINATE in tone, all verbal extensions except reflexive -MI-. These take the tone of the final syllable of the word.

INTRODUCTION / DICTIONARY

This English-Lingala dictionary is a revision of the first half of Professor Malcolm Guthrie's "Dictionnaire Français-Lingala" published in 1951, itself part of a grammar and dictionary by him of 1939. He came to Congo in 1971 to collect material for a complete revision of his earlier Lingala work but died the following year before he could do much more than make notes on the dictionary. The changes he proposed there have been incorporated in what follows together with other material collected mainly in the Upper Congo.

Orthography

Lingala has 7 distinct vowels represented here by:

- a – intermediate between Southern and Northern English *a* in gl*a*ss;
- e – as in Tyneside s*ay* (or in French: d*é*);
- ε – as in m*e*t (French c*e*tte);
- i – as in English s*ee*;
- o – as in Scottish s*o* (or in French m*o*t);
- ɔ – as in English h*o*t (or in French h*o*mme);
- u – as in English y*ou* (or in German d*u*).

Vowels occurring together in Lingala are always pronounced separately and not as English diphthongs:

    mái = má + i (water)
    ebeí = ebe + í (barge)
    nkɔi = nkɔ + i (leopard)
    njóí = njó + í (bees)

Note that e/ε and o/ɔ vowels must be rendered accurately in order to indicate correct meaning. Note, for instance the following pairs of words where inaccurate vowels could lead to confusion:

mabelé – soil,	mabélε – milk
nkómbó – name,	nkɔ́mbɔ́ – brush
mokóló – elder	mɔkɔlɔ – day

Open vowels ε/ɔ on the one hand and closed vowels o/e on the other rarely if ever occur together in any one word. If the root vowel is open then all the other vowels are open; if it is closed then the other vowels are closed. In earlier editions of this dictionary, only closed vowels were given for noun prefixes and the reader was expected to make the change to open vowels before an open-vowel root himself or herself. The present revision uses the appropriate vowel in the noun prefixes as well as in the roots:

earlier form: ebεlε (thigh)	mokɔlɔ (day)
this revision: εbεlε	mɔkɔlɔ

Tonal patterns

Each syllable of Lingala is pronounced on one of two essential tones: a low tone (unmarked in this dictionary) or a high tone (marked here with an acute accent over the vowel). Tonal differences may be the only way to distinguish words which have otherwise the same sounds, for instance:

moto – person,	motó – head
ndɛkɛ – bird,	ndékɛ – fish-trap
ngambó – pride,	ngámbo – opposite side (river or road)
-pusa – surpass,	-púsa – push
-tuba – accuse,	-túba – pierce
-yina – hate,	-yína – dip, submerge.

When two similar vowels with differing tones occur together, we hear a tonal glide, ascending or descending. Traditionally such vowels have been written as simple vowels and in the following pages such spelling is retained. But the tonal marks must then be composite and the high-low glide is shown by a circumflex accent while the low-high glide is shown by an inverted circumflex:

> sɔlɔ́ truth, bôngó thus, -yâ come
> (= sɔ́ɔlɔ́, bóongó, -yáa)

> lɔ̌sɔ rice, mɔ̌kɔ́ one, yɔ̌, (singular)
> (= lɔɔ́sɔ, mɔɔ́kɔ́, yɔɔ́)

Over the wide area where Lingala is spoken today, there are some variations in tonal patterns heard. Variants attested commonly are printed here in parentheses:

> ntembé (ntembe)   doubt,
> Njámbé (Njambé)   God,
> -tónga (-tonga)   build.

For all words except verbs, the tonal value of each syllable is shown (high tones with an acute accent, low tones unmarked). In the case of verbs, however, which are recognizable because they are shown as roots with an initial hyphen, only the first syllable is marked for tone (an unaccented first root syllable means that it is essentially *low* in tone). The tones of any verb used in discourse depend on the grammatical form employed and must be added by the speaker as required.

Consonants

Consonants can be rendered by their English equivalents:

> b d f g h j k l m n p s t v w y z

Note than *g* is always hard as in English *g*ame: *g*úmba (bend down) mo*gu*gu (ripe). The consonant *j*, usually heard in the Upper River and in other places as in English *j*ump, is often rendered in the Middle River by *z*:

> e*j*alí (Upper River for "it is") is heard as ezalí with the same meaning.

Some Lingala consonants have to be written with more than one Roman letter but they are always heard as a *single* sound, not a composite one. Note the nasal consonants: mb, mp, nd, ng, nk, ns, nt, ny; and the sounds: gb, kp, kw, pw, tw, ky, my, ngb, ngw. These are all heard as *one* consonant.

Phonetic variations are heard over the whole Lingala-speaking field. The most frequent ones are shown in the dictionary between parentheses:

> mondóki (bondóki) gun,
> yɔ́nsɔ (yɔ́sɔ, nyɔ́sɔ) all,
> pɛtɛɛ (pɔtɔɔ) slowly.

Plurals

Users of the dictionary will be aware of the manner in which nouns (and some adjectives) form plurals by prefix change. We recognize the following noun pronominal prefixes:

1	mo-	8	bi-
2	ba-	9	nasal or zero
3	mo-	10	nasal or zero
4	mi-	11	lo-
5	li-	12	bo-
6	ma-	13	ko-
7	e-		

Singular/plural pairs are typically: 1/2, 3/4, 5/6, 7/8, 9/10, 11/10. Where there is little doubt about the appropriate plural prefix, this is not indicated in the dictionary. But where doubt might occur and especially where a noun may be heard with two or more plural forms, the plural prefixes are indicated by the number(s) of the class prefix(es) after a full stop:

> molámbi.2 indicates plural balámbi (cooks);
> mokóló.4 indicates plural mikóló (elders);
> lɔbɔ́kɔ.6 indicates plural mabɔ́kɔ (arms);
> lilɔ́tɔ.6/10 indicates that plurals can be malɔ́tɔ or ndɔ́tɔ (dreams);
> elaká.8/10 indicates that plurals can be bilaká or ndaká (promises).

When nouns in classes 3 and 11 form plurals in class 10, there may be changes in the nasal consonant because of the initial consonant of the root and these need to be indicated between parentheses:

> lolémo.10 (ndémo) tongue,
> loyémbo.10 (njémbo) song,
> molelo.10 (ndelo) limit.

Note than some Lingala speakers use the nasal-prefix noun as singular as well as plural; *ndelo* may be used to mean "limit" as well as "limits".

Abbreviations

adj. adjective	pron, pronoun
adv. adverb	s. substantive (noun)
conj. conjunction	s.pl. plural substantive
gen. in general	spp. species
interj. interjection	v. verb
prep. preposition	vi. intransitive verb
	vt. transitive verb

Three points ... shown after a verb root indicate the position of an object. A hyphen - before a Lingala word indicates that it is a verb root: -tónga build, -jala be, exist, -téngatenga hesitate.

A

abandon, vt. **tíka, -sábola**
   be abandoned **-kélela**
   abandoned village **mɔpɔtú**
abdomen, s. **libumu**
abide, vi. (last) **-úmela, -yenga**
   (reside) **-fanda**
   (remain) **-tíkala**
   (by regulations) **-tósa**
able, to be, vi. **-koka, yéba, -bɔ́nga**
abolish, vt. **-sílisa, -kúfisa**
abort, vi. **-sopa jémi**
abound, vi. **-yíkana, -tóndana**
about, prep. **penɛpɛnɛ, sɔ́kɔ́**
   be about to do **-linga**
above, prep. **likoló na**
      adv. **na likoló**
      s. **likoló**
above all **na koleka, likoló na yɔ́nsɔ**
abscess, s. **litóngwáná**
absence, s. **kojanga, kojala té**
absent, to be, vi. **-jánga, -jala té, mílongola**
absolve, vt. **-límbisa**
absorb, tv. **mela**
abstain, vi. **-kila, -tíka**
abstinence, s. **kokila**
abundance, s. **litóndí, koyíkana**
abundant, adj. **míngimíngi**
abuse, vt. **-túka, -fínga, -bébisa**
accede, vi. **-ndima, -kóma na**
accept, vt. **-yamba, -kamata, -ndima**
access, s. **njelá, ekómelo**
accommodation, s. **ndáko, efandelo**
accompany, vt. **-kɛnda na...ɛlɔngɔ́, -tíkana na, -tíka**
   (singing) **-yémbisa**
accomplish, vt. **-kokisa, -sílisa, -súkisa, -sála**
according to, prep. **pelamɔ́kɔ́ na, kobila**
accost, vt. **-sémisa, -kóma pɛnɛpɛnɛ na**
accurate, adj. **-sémbó, sɔ́lɔ́, na bɔyéngɛbénɛ**
accuse, vt. **-fúnda**
accustom, vt. **-mɛsanisa**
   be accustomed to **-mɛsana na (-mɛsɛna na)**
acid, a. **na ngai, na ngaingai**
acquire, vt. **-jua, kwa**
acquit, vt. **-lóngisa**
across, prep. **ngámbo, epái mosúsu**
act, vi. **-sála**
   (imitate) **-mekola**

79

adam's apple, s. **ngongolí**
adapt, vt. **-bɔ́ngisa, -kokisa**
    vi. **-bɔ́nga, -koka**
add, vt. **-sanganisa, -bakisa**
address, vt. **-loba na, -téya**
   (speech), s. **litéyo**
   (house) **ejalelo, efandelo**
adhere, vi. **-kangana, -bakisama**
adjust, vt. **-bɔ́ngisa, -kokisa**
adminster, vt. **-bátela, -bɔ́ngisa, -yángela mwángo mpɔ̀ na**
   (medicine) **pésa, mɛlisa**
administrator, s. **mɔbɔ́ngisi, motámbolisi, mobáteli**
   (state agent) **moto na letá**
admire, vt. **-sima, -sanjola**
admit, vt. (entry) **-kɔ́tisa, pésa njelá**
   (fault) **-yámbola, -ndima**
adolescent, s. **ɛlɛngɛ, monjéngá**
adult, s. **mokóló.4**
adultery, s. **ekóbo, kotámbola na mwásí (mobáli)**
    na moto mosúsu
advance, vi. **-kɛnda libosó, -leka libosó**
   (money) s. **mɔsɔlɔ na kodefisa**
   in advance, adv. **na libosó**
adversary, s. **moyíni, mɔtémɛli, monguna**
advice, s. **tolí**
advise, vt. **-yébisa, -pésa tolí**
advocate, s. **molobeli, afóka (avóka)**
aeroplane, s. **áfiɔ, pɛpɔ (mpɛpɔ)**
affair, s. **likambo, mpɔ̀**
affirm, vt. **-yébisa sɔ̀lɔ́, -ndima**
afflict, vt. **-tungisa, -yókisa mpási**
affliction, s. **mpási (mpasi), bɔlɔ́jí, mawa**
afraid, to be, vi. **-bánga, -yóka nsɔ́mɔ**
after, prep. **nsima na**
    adv. **na nsima**
afternoon, s. **mpókwa**
again, adv. **lisúsu**
age, s. (period) **ntángo**
   (years) **bilanga longwá kobótama**
   vi. (grow old) **-nuna**
agitate, vt. **-tungisa, -kakatanisa**
   (things) **-támbolisa**
ago, adv. **ntángo elekí**
   long ago **kalakala**
agree, vi. **-yókana, -ndimana**
   agree to, vt. **-ndima**
agreement, s. **kondimana, lingeléma**
aground, to run **-kákema, -kaoka**
aid, vt. **-sunga**
   s. **lisungí**

aim, vi. sɔsɔla
    s. mokáno, mwángo
air, s. mɔpɛpɛ
    (melody) nkíngó, mongóngó
airport, s. elanga na áfiɔ
alarm, vt. -bángisa
albino, s. elúmbú
alert, adj. na lisɔsɔlí
    vt. -kébisa, -yébisa
alien, s. mopaya.2
all, adj. yɔ́nsɔ (nyɔ́sɔ, yɔ́sɔ)
    (entire) mobimba
    pron. yɔ́nsɔ
    (not at all) sɔ́kɔ́ mɔké té, wápi
alliance, s. kondimana, endimaneli
allow, vt. -lingisa, -ndima, -pésa njelá na
almost, adv. pɛnɛpɛnɛ na
    it is almost finished etíkálí mɔké éte ésíla
alone, adj. bɔbélé yé, bɔbélé yangó, yé mɔ́kɔ́
along, adv. pɛmbéni
    along with na...ɛlɔngɔ́
alongside, adj. pɛmbéni
already, adv. naíno
also, adv. mpé, lokóla
    conj. boye, na bôngó
altar, s. etumbelo na makabo
alter, vt. -bongola, -sɛnja, -bɔ́ngisa
although, conj. átâ
always, adv. ntángo yɔ́nsɔ, mikɔlɔ yɔ́nsɔ
    for always libélá, sékó
amass, vt. -yanganisa, -kɔ́ngɔla
amaze, vt. -kamwisa
    be amazed, vi. -kamwa
amazement, s. kokamwa
ambassador, s. ntómá.2
amen, int. bɔbélé bôngó, amen
amend, vt. -bɔ́ngisa
    mend one's ways, vi. míbɔ́ngisa, -bóngola motéma
ammunition, s. masási
among, prep. katikáti na, káti na
amputate, vt. -jénga
amulet, s. nkísi, mɔnɔ́, mónganga
amuse, vt. -sɛkisa
amusement, s. lisano
ancestor, s. nkɔ́kɔ.2
anchor, s. lóngo
ancient, adj. na kala
and, conj. mpé, na
angel, s. mwánjé.2, ntómá.2, (na likoló)
anger, s. nkɛlɛ, nkanda
    vt. -yókisa nkɛlɛ, nkanda
    get angry, vi. -yóka nkanda, nkɛlɛ

81

angle, s. **nsúka, ejuanelo na milɔngɔ́ mibale**

animal, s. **nyama**
    young animal **motuba**
    domestic animal **ɛbwɛlɛ**

ankle, s. **likɛsi**

annex, s. **eténi pɛmbéni na ndáko, mokabo na nsúka na mokandá**

annihilate, vt. **-boma, sílisa**

anniversary, s. **mɔkɔlɔ na kokanisa, mɔkɔlɔ na kobótama**

announce, vt. **-sakola, -yébisa, -sangela**

annoy, vt. **-tungisa, -túmola**

anoint, vt. **-pakola, -bísa**

another, adj. **mosúsu**
        pron. **mosúsu.2**

answer, vi. **-jongisa mɔnɔkɔ, -ndima, -yanola**

ant, s. driver **mopumba.2**
    large black **nsambí**
    white edible **nkakaló**
    (see also *termite*)

ant-eater, s. **nkajá.2**

antelope, s. small **mbólókó**
    large **nganji, nkulúpa**
    with long horns **mbuli**

antenna, s. **mojombe.4**

anus, s. **lisɔkɔ́, mofáti**

anvil, s. **libomá**

anxiety, s. **mikakatano, motéma likoló**

anxious, to be **-jala na motéma likoló, -kakatana**

anyone, pron. **moto náni, moto**
    anyone can come **moto na moto akokí koyâ**
    I didn't see anyone **namɔ́ní moto té**

anywhere, pron. **esíká níni**

apologize, vi. **-tíya mokalo**

apostate, s. **mojóngi nsima**

apostle, s. **ntómá.2**

apparatus, s. **esáleli, ɛlɔ́kɔ na mosálá**

appear, vi. **-mɔ́nana, -bíma**
    it appears to be right **ɛmɔ́nání éte ejalí malámu**

appearance, s. **motíndo, kɔmɔ́nana, kobima**

appease, vt. **-kitisa motéma na**

applaud, vi. **-béta mabɔ́kɔ, -béta bisáko**
    applause, s. **bisáko**

apply, vt. **-bákisa**
    apply oneself to **-míbákisa, -sála makási**

appoint, vt. **-pɔna, -tíya na mosálá**

appointment, s. **elaká**

appreciate, vt. **-sima, -sɔsɔla malámu na**

apprehend, vt. **-kanga, simba**
    (know) **-sɔsɔla, -yéba**

apprentice, s. **moyékoli**

apprenticeship, s. **koyékola, ntángo na koyékola mosála**

approach, vt. -bɛlɛmisa
    vi. -bɛlɛma, -kóma pɛnɛpɛnɛ
    (shore) -séma
appropriate, vt. kamata, -bɔtɔla
    adj. óyo ekokí, óyo ɛbɔ́ngí
approve, vt. ndima
arbitrate, vi. -káta makambo, -sámbisa
argue, vi. -tíyana ntembé, -bétana ntembé
arise, vi. -télɛma, -téma
    (from bed) -bima
    (from death) -sékwa, -bétwa
ark, s. (of Noah) ebeí
    (of covenant) sandúku
arm, s. lɔbɔ́kɔ.6
arm-pit, s. lisasámba
army, s. basodá, ebelé na basodá
around, adv. óyo ejíngélí
    all around bipái yɔ́nsɔ
arouse, vt. -lamukisa, -longola na mpɔngí
arrange, vt. -bɔ́ngisa, -kokisa
    (in order) -tíya na mɔlɔngɔ́, -ninola, sémbola
arrest, vt. -kanga, -témisa
arrive, vi. -kóma
arrogance, s. ngambó, njómbó
arrow, s. lobánjí.10, lobásí.10
    (iron tipped) likula
artery, s. mosisa (na makilá)
artful, adj. na mayélɛ
articulation, s. (body) ejuanelo na mikwa
    (voice) elobélí
as, conj. lokóla, pelamɔ́kɔ́
ascend, vi. -buta
ashes, s. mputúlú na mɔ́tɔ, makala
ask, vt. (for) -lɔmba, sɛnga
    (about) -túna
aspire, to, vt. líkíá (-líkyá)
ass, s. mpúnda.2
assemble, vt. -yánganisa, -tákanisa
    vi. -yángana, -tákana
assembly, s. koyángana
    (political) lényɔ, mitíngi
assent, s. kondima
    vi. -ndima
assess, vt. -tíya...motúya
assist, vt. -sunga, -sálisa
assistance, s. lisungí, lisálísí
assistant, s. mosungi.2
associate, vt. -sanganisa
    (with) vi. -sangana na
assume, vi. -kanisa, -ndima
    (an innocent air) -lambasana

83

assure, vt. **-léndisa, -yébisa sɔ́lɔ́**

astonish, vt. **-kamwisa**
    be astonished **-kamwa**

astray, to go vi. **-búnga, -pengwa**

at, prep. **na**
    at someone's place **epái na, mbóka na**

atmosphere, s. **mɔpɛpɛ**

atonement, s. **mbɔ́ndí**

attack, vt. **-bunana na, -kwéla**

attempt, vi. **-meka**
    s. **komeka**

attend, vi. **-jala wâná, -yángana esíká mɔ́kɔ́ na**
    (look) **-tála, -tíya motéma**

attention, s. **kotála**
    (thoughtfulness) **kobátela**

attract, vt. **-bénda (-benda)**

aubergine, s. **losuke.10**

audience, s. **bayóki, koyángana**

author, s. **mokomi na mokandá, mɔbɔ́ngisi na likambo**

authorize, vt. **-pésa...bokonji**

authority, s. **bokonji**

avarice, s. **moimi, ekonjo**

avenge, vt. **-bukanisa**

avert, vt. **-pɛngwisa**

avocado pear (fruit and tree) **afóka**

avoid, vt. **-pɛngwɛla**

awaken, vt. **lamukisa, -longola na mpɔngí**
    vi. **-lamuka, -longwa na mpɔngí**

axe, s. **sóka (nsóka)**

B

baboon, s. (black) **lingambó**
    (large) **mpunga**

baby, s. **mwána mɔkɛ́, monungi**

back, s. **epái na nsima**
    (body) **mɔkɔ́ngɔ́**
    (house) **matutu**

bad, adj. **mabé**

bag, s. **líbenga**

bail, s. **ndanga**

bake, vt. **-tumba**

baker, s. **motumbi mápa**

balance, s. **kiló, epimelo na bojitó**

baldness, s. **ebatá, libanji**

bale, vt. (out) **-popa**

ball, s. (rubber) **litófe, mopíla**
    (palm-nut flesh) **libónda**
bamboo, s. **litete, likéké, limbásá**
banana, s. (plantain) **likémba, likɔndɔ, mweka.10 (njeka)**
    (small, sweet) **kitíka, etabe**
    (ripe plantain) **ntelá**
banish, vt. **tínda mosíká, -panja**
bank (river), s. **libóngo**
    steep cliff **mobungutulu**
    opposite bank **ngámbo**
banner, s. **bɛndéla (bɛndélɛ)**
baptize, v._**-bátisa**
baptism, s. **kobátisa, libátísá**
barbarian, s. **mɔsɛnji.2**
bargain, vi. **-wélana motúya**
barge, s. **ebeí**
bark, s. **1 loposo (na njeté)**
         2 kogbóma (na mbwa)
bark, vi. **-gbóma**
barrel, s. **pípa**
barren, adj. (tree) **na mbuma tɛ**
    (woman) **ekómba**
barricade, s. **lopango**
barter, vi. **-sombotana, -sɛnja**
base, s. **ntína, epái na nsé, efandelo**
    adj. **na motéma mabe**
    vt. **-fandisa**
basin, s. **saáni**
basket, s. (general) **ɛkɔlɔ́, elóngo**
    (made of palm leaves) **mɔtɛtɛ**
    (carried on back) **lipoli**
    (for fishing) **yíka**
bat, s. **loléma, lɔngɛmbú**
bath, s. **báfu, malɔbe, esukwelo**
bathe, vi. **-sukola**
battle, s. **etumba**
bay, s. **likumba**
be, vi. **-jala**
beach, s. **libóngo**
bead, s. **liyaka**
beak, s. **ɛkɔmu**
beam, s. (wood) **mɔtɔ́ndɔ́**
    (light) **polé**
bean, s. **nkúnde, madesó**
bear, vt. (baby) **-bóta**
    (carry) **-mɛma, -kúmba**
beard, s. **mandéfu, elolé**
bearing, s. (manner) **etámbwélí**
beast, s. **nyama**
beat, vt. **-béta, -bola**
beauty, s. **kitɔ́kɔ, bonjéngá**

beautiful, adj. **na kitɔkɔ**
    (person) **monjéngá**
because, conj. **jambí, mpɔ́ éte, mpámba tɛ**
become, vi. **-kóma, -yâ**
bed, s. **mbétó, elálelo, litɔkɔ́**
bed-room, s. **ndáko na mbétó, eténi na kolála**
bee, s. **monjóí.10, mɔpɔkɛ.10**
beef, s. **mosúni na ngɔ́mbɛ**
beer, s. **masanga, nsámbá**
    (sugar-cane) **mɔtɔngu**
befall, vi. **-kwéla, -kóma**
before, adv. **libosó**
    prep. **libosó na**
    conj. **naíno...té**
beg, vt. **-ɔnga, -bɔ́ndɛla, -lɔmba**
beget, vi. **-bóta**
beggar, s. **mɔɔngi.2**
begin, vi. **-bánda**
beginning, s. **ebándeli**
beginning with **bándá na**
behind, adv. **na nsima, nsima**
    prep. **nsima na**
    s. (buttocks) **masɔkɔ́**
    (house) **matutu**
being, s. **moto to nyama to ɛlɔ́kɔ níni ejalísámí**
belief, s. **kondima, endimeli**
believe, vi./vt. **-ndima, -yamba, -tíya motéma na**
believer, s. **mondimi.2**
bell, s. **ngonga, ngɛlɛngɛlɛ, elefó**
bellow, vi. **-lela**
bellows, s. **nkuka**
belly, s. **libumu**
below, adv. **na nsé**
    prep. **na nsé na**
belt, s. **nkámba (na lokéto)**
bench, s. **etánda, libáyá**
bend, vt. **-kúmba (-gúmba)**
    bend down, vi. **-kúmbama (-gúmbama)**
berry, s. **mbuma**
    miracle berry *(Synsepalum)* **mbunga**
berth, vi. **-séma**
    vt. **-sémisa**
    s. **efándelo, elálelo**
beseech, vt. **-bɔ́ndɛla**
besides, adv. **mpé, na nsima**
bestow, vt. **-pésa, -kaba**
bet, s. **móndengé**
    vi. **-béta móndengé**
betray, vt. **-kaba, -téka**
    (reveal) **-sénginya**
betrayal, s. **liséngínyá**

between, prep. **káti na**
bewitch, vt. **-lɔka**
beyond, prep. **koleka epái na**
bible, s. **mokandá na Njámbé, biblia**
bicycle, s. **nkíngá (kíngá)**
big, adj. **mɔnénɛ.4**
bile, s. **njongo, likamo**
bind, vt. **-kanga, -kanganisa**
    (swathe) **-jíngela**
    bind together **-bakisa**
bird, s. **ndɛkɛ**
    weaver-bird **mɔlɛkɛ.10**
    Calao **nkatá**
    eagle **mpɔ́ngɔ́**
    hawk **kómbé, kómbékómbé**
    parrot **nkoso, nsáko**
birth, s. **kobótama**
    give birth, vi. **-bóta**
bit, s. (small piece) **eténi mɔkɛ́, mwa (mwá)**
    (drill) **etúbeli, ɛtɔbeli**
bite, vt. **-swâ (-súa)**
bitter, s. **na bololo**
bitterness, s. **bololo**
black, adj. **mwíndo**
    very black **mwíndo tuu**
    (person) s. **moíndo.2**
blackboard, s. **libáyá mwíndo**
blacken, vt. **-yíndisa**
    vi. **-yínda**
blacksmith, s. **motúli**
blade, s. (grass) **eténga**
    (knife) **ebendé**
blame, vt. **-funda, -pámela**
blanket, s. **molangíti (bolangíti)**
blaspheme, vi. **-tuka, -finga**
blaze, vi. **-pela, -pela makási**
    make to blaze **-bámbola (-bábola), -pelisa**
bleat, vi. **-lela**
bleed, vi. **-tanga makilá**
bless, vt. **-pambola**
    be blessed **-pambwa**
blessing, s. **lipambólí**
    inter. **mokakoswaa!**
blind, adj. **na míso makúfí, na míso litii**
    vt. **-boma míso**
blindness, s. **míso makúfí, míso litii**
blink, vi. **-bwéta míso**
bliss, s. **ɛsɛngɔ bɛɛ**
blister, s. **lipopá**
block, vt. **-jipa, -funga, -kanga njelá**
blockhead, s. **jóba.2, elémá**

blood, s. **makilá**
bloom, s. **feléle, folólo**
    vi. **-bimisa feléle**
blow, vi. (of wind) **-pɛpa**
    (to remove dust) **-pupola**
    (water from mouth) **-pambola**
    (horn, whistle) **-yula, -béta**
    (blow about in wind) **-sála yɛmbɛyɛmbɛ**
    s. (with hand) **mbatá**
    (strike blow with hand) **-bámbola mbatá**
blue, adj. **lángi na lóla, mwíndo**
blunt, adj. **motúno, na líno té**
    vt. **-túnya**
blush, vi. **-tela**
boa, s. (python) **ngúma**
boar, s. **ngúlu, ngúlu mobáli**
    wild boar **ngúlu na jámba**
board, s. **libáyá**
    vt. (ship) **-kɔta na masua, -kwéla**
boast, vi. **-míkúmisa**
boastfulness, s. **mangúngú mpámba, ngambó**
boat, s. (steamer) **masua**
    (barge) **ebeí**
    (motor-boat) **pakapáka**
    (for charting river) **kaoka**
body, s. **njóto**
boil, vt. **-tɔkisa**
    vi. **-tɔka**
    s. **litóngwáná, mbuma**
boiler, s. (steamer) **mɔmbɔnda**
boldness, s. **mpíko, moléndé**
bolt, s. **nsétɛ**
    thunderbolt **libángá na nkáké**
bond, s. **ekangeli, nkangá**
bondage, s. **boombo**
bone, s. **mokwa.4**
bonnet, s. **ɛkɔti**
book, s. **mokandá, búku, lokásá.10**
boot, s. **sapáto**
bore, vt. (hole) **-tɔbɔla, túba**
    (annoy) **-tungisa**
    be bored **-mítungisa**
borrow, vt. **-béka**
both, adj. **yɔnsɔ míbalé**
bother, vt. **-tungisa, -túmola**
bottle, s. **molangi**
bottom, s. **nsé, ntína**
    at bottom of **na nsé na**
bough, s. **etápe**
boundary, s. **molelo.10 (ndelo)**

bow, s. (for arrows) **litímbó**
   (of canoe) **mbaka**
   rainbow **monama**
bow, vi. **-kúmbama (-gúmbama)**
bowel, s. **mɔsɔpɔ́.4/10 (nsɔpɔ́)**
bowl, s. **saáni, lúngu**
box, s. **sandúku**
boy, s. **ɛlɛngɛ mobáli**
   servant **bɔ́i.2**
bracelet, s. **likɔmɔ**
braces, s. **nkámbá, makambá**
braid, s. (military) **lɔpétɛ.10 (mpétɛ)**
brain, s. **bɔngɔ́**
branch, s. **etápe**
   dead branch **mɔsɛ́njú**
brass, s. **motáko.4/10**
bravado, s. **mangúngúmpámba**
brave, adj. **na moléndé**
bravery, s. **moléndé**
bread, s. (wheat) **mápa, lípa (límpa)**
   (manioc) **kwánga**
   (food in general) **biléí**
breadfruit (tree and fruit), s. **lihímbo**
break, vt. **-búka, -bola, -boma**
   vi. **-búkana, -béba, -kúfa**
   break wind **-sumba mokinja**
   break down **-kúfa**
breast, s. **ntólo**
   (female) **libélɛ**
   teat of breast **nsɔ́ngé na libélɛ**
breath, s. **mpéma, moúli**
breathe, vi. **-péma**
brevity, s. **mokúsé.4**
bribe, s. **kanyáka**
   vt. **-pésa kanyáka, fúta afóka**
brick, s. **lobilíki.10, bilíki**
bride, s. **mobálani.2**
bridegroom, s. **mobáli.2**
bridge, s. **etanda, lɔbɛlɛngɛ.10, elálo, gbagba**
brightness, s. **kɔngɛnga, polélé**
   (of sun) **kotána, mói**
brilliance, s. **lángilángi**
brilliant, adj. **na lángilángi**
   be brilliant, vi. **-tána ngbaa**
bring, vt. **-kamba, -támbwisa, -yéisa, -yéla...na**
   bring forth **-bóta**
   bring in **-kɔ́tisa, -íngisa**
   bring out, **-bimisa**
   bring together **-yánganisa**

bring up (from beneath) **-butisa**
  (from canoe) **-lubola**
  (child) **-bɔkɔla, -kólisa**
broad, adj. **mɔnénɛ**
brood, s. **libóta**
broom, s. **nkɔ́mbɔ́, mobambo**
brother, s. **ndeko.2 (mobáli)**
  older brother **nkulútu.2**
  younger brother **molimi.2**
brother-in-law, s. **bokiló.2**
brown, adj. **lángi na pɔtɔpɔ́tɔ, mwíndo**
bruise, s. **litútú**
brush, s. **nkɔ́mbɔ́, mobambo**
  toothbrush **mbánji na míno**
  for washing **esukoli**
brutality, s. **yaúlí**
bubble, s. **libɔ́nda**
bucket, s. **kantíni**
buckle, s. **ekangeli**
buffalo, s. **njále**
bugle, s. **kɛlɛlɔ, mondúle**
build, vt. **-tónga, (-tonga)**
builder, s. **motóngi.2 (motongi)**
building, s. **litóngí, ndáko**
bulge, s. **ebímbá**
bull, s. **ngɔ́mbɛ mobáli**
bullet, s. **lisási**
bump, vt. **-túta, -tútana na**
  s. **ebímbá**
bunch, s. **libimba (ebimba)**
bundle, s. **ebólo, ebimba (libimba)**
burden, s. **mokúmbá**
burial, s. **kokunda, mɔbɔmba**
burn, vt. **-jíkisa, -bábola**
  vi. **-jíka**
burst, vi. (tyre) **-tɔbwana, -tɔbɔna**
  burst out (water) **-púnjwa**
bury, vt. **-kunda**
bush, s. **njeté mɔké**
  (forest) **jámba**
  (grassy savannah) **lisóbé (esóbé)**
but, conj. **ndé, kási**
butcher, s. **mobomi mpe mɔtékisi na nyama**
butt, s. **ngwángwata (ngbángbata)**
butter, s. **matéka, mafúta na ngɔ́mbɛ**
butterfly, s. **lipalala (likpalala) lopómbólí.10**
buttocks, s. **masɔ́kɔ**
button, s. **lifungú**
buy, vt. **-sómba**
  buy on credit **-béka**

by, prep. **na**
    nearby **pεnεpεnε na**
    by means of **na njelá na, na lisungí na**
    by far **na koleka**
    by no means! **wápi!**

C

cabin, s. **ndáko mɔkέ, nganda**
cable, s. **nsinga**
cackle, vi. **-kɛkɛla**
cage, s. **ekangelo**
calabash, s. **ekutu**
calamity, s. **likámbá**
calcine, vt. **-yomisa, -jíkisa**
calculate, vt. **-tánga motúya**
calf, s. (leg) **mpéndé**
    (animal) **mwána na ngɔ́mbε**
calico, s. **molikáni**
call, vt. **-bíanga (-bénga)**
    what are you called? **nkómbó na yɔ̌ náni?**
    s. (vocation) **kobíangama**
    (cry) **kobíanga**
calm, adj. **nyε, na kímyá (kímíá)**
    vt. **-tilimisa, -jalisa nyε, -bɔ́ndisa**
camel, s. **kaméla.2/10**
camwood, s. **ngola**
can, vi. **-koka, -yéba**
    s. **linjanja**
canal, s. (between 2 roads) **nténá**
candle, s. **buji**
cane, s. **likaukau, nkékélé**
cannon, s. **mójinga (mónjinga)**
cannon ball, s. **lisáse (lisási)**
canoe, s. **bwáto.6**
    prow of canoe **mbaka**
    journey by canoe **molúka**
canvas, s. **héma**
cap, s. **εkɔti**
capable, adj. **na mayέlε, na boyébi**
    be capable, vi. **-koka, -yéba, -bɔ́nga**
capstan, s. **jéki**
captain, s. **kapiténi**
capture, vt. **-kanga**
car, s. **fwatíli, mótuka**
card, s. **kaláta**

care, s. **kobátela**
  care for, vt. **-bátela, -linga**
  take care, vi. **-kéba**
  careful! **kébá! malémbɛ! na mɔí na mɔí!**
carpenter, s. **sapate, kapinta**
carry, vt. **-kúmba, -mɛma, -náta**
cart, s. **likalo, púsupúsu**
cartridge, s. **lisáse (lisási)**
carve, vt. (food) **-sɛsa**
  (wood) **-kátakata**
case, s. (wooden) **sandúku**
  (court) **likambo**
  win a case **-lónga**
  lose a case **-kwéya, -kita**
cassava (see *manioc*)
cat, s. **mɔkɔndɔkɔ, púsu (púsi)**
catch, vt. **-kanga, -kámba, -simba**
  catch cold, vi. **-bɛla moyóyó**
catechist, s. **molakisi.2**
caterpillar, s. **mobínjo.10 (mbíⁿjo)**
cattle, s. **ngɔmbɛ**
cauri-shell, s. **mbele**
cause, s. **ntína, mpɔ**
  because of **ntína na, mpɔ na**
cave, s. **lilusú**
cease, vi. **-tíka**
celebrate, vt. **-kúmisa**
celebration, s. **bisɛngɔ**
  official celebrations **milúlú**
  holiday, s. **yenga (eyenga)**
celestial, adj. **na lóla, na likoló**
cemetery, s. **mayita, ngelú, elanga na nkunda**
centipede, s. **ngóngoló (ngóngolí)**
centre, s. **káti, epái na káti**
certain, adj. (sure) **na sɔlɔ**
  (some) **mosúsu**
certainly, adv. **na sɔlɔ**
chain, s. **monyɔlɔlɔ**
chair, s. **kíti**
chalk, s. **mpémbé**
chameleon, s. **longónya**
champion, s. **elombe**
change, vt. **-sénja, -bóngola, -sómbotana**
  vi. **-bongwana**
channel, s. **mongálá, mobeka, lileko, njelá**
chaos, s. **mobulu**
chapel, s. **esámbelo, Ndáko na Njámbé, Tempelo**
chapter, s. **mokabo**
character, s. **ejalélí, motíndo**
  (printing) **elembo**
charcoal, s. **makala**

charge, vt. (burden) **-kúmbisa**
  (in battle) **-kwéla**
  (accuse) **-funda**
charity, s. **bobóto, bolingo**
charm, s. (amulet) **nkísi, mɔnjɔ**
  (attraction) **kitɔkɔ**
  vt. **-léngola**
chase, vt. **-benga, -bengana na**
  s. **botáí, monyámá**
chat, vi. **-soola (-solola)**
chatter, vi. **-lobaloba**
  s. **bilobaloba**
cheap, adj. **na motúya malámu, na motúya mɔkɛ́**
cheat, vt. **-kosa, -jimbisa**
cheek, s. **litáma**
chest, s. (box) **sandúku**
  (body) **ntólo**
chew, vt. **-támunya, -nyámuta**
chief, s. **mokonji.2/4, kapíta**
  adj. **na libosó**
chiefdom, s. **bokonji**
child, s. **mwána.2**
  only child **mwána na likinda**
chimney, s. **mɔmbɔnda, njelá na mólinga**
chimpanzee, s. **mokómbósó.4**
chin, s. **ɛmɛkú, lobángá.10**
chip, s. **epaso, epapo**
  vt. **-papola**
choke, vt. **-kíbisa**
  vi. **-kíba**
choose, vt. **-pɔna**
chop, vt. (food) **-sɛsa**
  (wood) **-káta**
  (split down) **-pasola**
christian, adj. **na Nkóló Yésu**
  s. **moklísto, moto na Njámbé**
Christmas, s. **Yenga na kobotama na Yesu**
church, s. (people) **lingómbá**
  (building) **ndáko na Njámbé**
cinders, s. **makala**
circle, s. **jeló**
circulate, vi. **-lekaleka, -jingela**
circumcise, vt. **-kátela...ngénga**
cite, vt. **-tánga, -pata nkómbó**
civet-cat, s. **mɔsɔ́lɔ**
clamour, s. **makelélɛ, yíkíyiki**
clan, s. **ekólo, libóta**
clap, vt. (hands) **-béta (mabɔ́kɔ)**
clarify, vt. **-limbola, -yébisa ntína na**
clasp, vt. **-simba**
class, s. **kalási (kelási)**

claw, s. **linjáká (lonjáká.10)**

clay, s. **pɔtɔpɔtɔ, mabelé, lima**

clean, adj. **na mpétɔ́**
  vt. **-pétɔla, -sukola**
  (with brush) **kɔ́mba**

clear, adj. **polélé**
  clear water **mái kitɔ́kɔ**
  vt. (forest) **-káta**
  (table) **-tándola**

clearing, s. (forest) **lisóbé (esóbé)**
  (for building) **nsako**

clearly, adv. **polélé**

cliff, s. **mobungutulu**

climb, vt. **-buta**

cling, vi. **-kangana, -kekana**

clip, vt. **-káta, -téna**

clitoris, s. **esóngó**

clock, s. **sáa, ntángo, likánga**

clod, s. (earth) **libungutulu**

close, vt. **-jipa, -liba, -funga, -kanga**

close, adv. **pɛnɛpɛnɛ**
  to person **mbóka na**
  bring close, vt. **-bɛlɛmisa**
  come close, vi. **bɛlɛma**

cloth, s. **elambá**
  loin-cloth, **molínda**
  waist-cloth, **lipopela, limpúta (lipúta)**
  dark blue cloth, **mpíli**
  white calico, **molikáni**
  with check design, **kungúlu**
  clothes **moláto**

cloud, s. **lipata**

clumsy, adj. **na mayɛ́lɛ té, óyo ayébí kosimba bilɔ́kɔ**
                              malámu té

cluster, s. **ebólo, ekango**

clutch, vt. **-simba, -kanga**

coagulate, vi. **-kangama**
  vt. **-kangisa**

coat, s. **mokóto**
  vt. **-pakola**

cobra, s. **libáté**

cockroach, s. **mɔpɛkɛsɛ.10**

coeur-de-boeuf, s. **mɔpɔmbi.10**

coffee, s. **káwa**

coffee-pot, s. **mbilíka**

coffin, s. **sandúku**

coin, s. **ebendé, mɔsɔlɔ**

cola, s. (tree and nut) **libelu**

cold, s. **maláli na moyóyó**
  catch cold **-bɛla moyóyó**
  adj. **na mpíɔ, malílí**
  cold season **esío**
collar, s. (clothing) **nkíngó**
  (brass) **mɔngɔmbɔ́**
collect, vt. **-kɔ́ngɔla, -yánganisa**
  (fruit) **-buka**
  (taxes) **-tákola, -kɔ́ngɔla**
collide, vi. **-tútana, -bétana, -kúmana**
colony, s. **libonga**
colour, s. **lángi, mokóbo**
  vt. **-pakola lángi, -tíya lángi**
comb, s. **lisanola (lisanóla)**
  vt. **-sanola**
  cock's comb **lisombá**
combatant **mobuni.2**
come, vi. **yâ**
  come away **-longwa**
  come back **-butwa**
  come from **-úta (-yúta) na**
  come into **-kɔ́ta, -íngela**
  come near **-bɛlɛma**
  come out **-bima**
  come to (revive) **-bétwa, -sékwa**
  come up from water **-lubwa**
comfort, s. **libɔ́ndí**
  vt. **-bɔ́nda, -bɔ́ndisa**
command, vt. **-laka**
commandment, s. **mobéko, kolaka, elakiseli**
commence, vi. **-bánda**
commerce, s. **mombóngo**
commission, s. **etíndá**
commit, vt. (crime) **-sála (lisúmu)**
  (entrust with) **-tíka**
common, adj. (to group) **na lisangá**
  (ordinary) **na mɔkɔlɔ na mɔkɔlɔ**
commotion, s. **yíkíyiki, makɛlɛ́lɛ**
communion, s. (service) **elámbo na Nkóló**
community, s. **lingómbá, ebólo, lisangá**
compact, s. **lingeléma, endimaneli, kondimana, bondeko**
  make a compact **-káta bondeko**
companion, s. **moníngá.2, motámboli na njelá ɛlɔngɔ́**
compare, vt. **-kokanisa**
compassion, s. **mawa**
compensation, s. **mbɔ́ndí**
compete, vi. **-mekana**
competent, adj. **na boyébi, na mayɛ́lɛ**
  be competent **-koka, -yéba, -bɔ́nga**
competition, s. **komekana, bomekani**
complete, vt. **-sílisa, -súkisa, -kokisa, -bɔ́ngisa**

completely, adv. *(use the appropriate ideophone)*
  finish completely -sílisa nyé
  fill completely -tóndisa maa
  fall right down -kwéya kpuu
complicate, vt. -kakatanisa, -bulunganisa
complication, s. mokakatano, kwɔkɔsɔ
comprehend, vt. -sɔsɔla, -yéba ntína
comprehension, s. lisɔsɔlí, boyébi
compress, vt. -nyɛta
  be compressed -kama
comrade, s. ndeko.2, moníngá.2
conceal, vt. -bómba
concede, vi./vt. -ndima
conceive, vi. -jua jémi, -jua libumu
  vt. (think) -bánja, -kanisa
concerning, prep. mpɔ na
conclude, vt. -súkisa, -sílisa
  vi. -súka, -síla
conclusion, s. nsúka
concubine, s. makángo
condemn, vt. -kitisa, -kwéisa
condemnation, s. ekwélí, kokwéya
conduct, s. ejalélí, etámbwélí
  vt. -támbolisa
  (choir) -yémbisa
confess, vt. yambola
confession, s. koyambola
confidence, s. mpíko
confirm, vt. -léndisa
confluence, s. ejuanelo na bibalé
confuse, vt. -kakatanisa, -bulunganisa
  be confused -kakatana, -bulungana
confusion, s. mobulu, matáta, kwɔkɔsɔ
congeal, vi. -kangama
  vt. kangamisa
congratulate, vt. -kúmisa
conjunctivitis, s. matɔkɔ
conscience, s. lisɔsɔlí
consciousness, s. lisɔsɔlí
  lose consciousness -senjwa
consecrate, vt. -bulisa
  consecrate oneself -míbulisa
consent, vi. -ndima
conserve, vt. -bátela, -bómba
consider, vt. -kanisa
consignment, s. bilɔkɔ bitíndámí
consolation, s. libɔndí, mbɔndí
console, vt. -bɔnda, -bɔndisa
consolidate, vt. -léndisa
conspire, vi. -yánga mwángo
construct, vt. -tónga (-tonga)

96

construction, s. **litóngí (litongi)**
consult, vt. **-luka tolí epái na, -túna**
consume, vt. (eat) **-líya, -sílisa**
  (with fire) **-tumba, -jíkisa**
contempt, s. **kotiola, koboya**
contend, vi. **-bunana, -wélana**
content, adj. **na motéma nyɛ**
  be content, vi. **-sepela**
contest, vt. **-wéla, -béta ntembé**
continue, vi. **-yenga, -úmela, -tíka té**
  continue to do **-sála naíno**
contradict, vt. **-kotola**
contribute, vt. **-pésa na bamosúsu ɛlɔngɔ́, -kaba**
contribution, s. **likabo, lisungí**
contrition, s. **mawa, kobóngwana motéma**
conversation, s. **lisoló**
converse, vi. **-soola, -soolana, -lobana**
convert, vt. **-bóngola, -bóngola motéma, -jéngola**
convince, vt. **-ndimisa, -yambisa**
convoke, vt. **-bíanga, -yánganisa**
cook, vt. (boil) **-lámba**
  be cooked **-lámbama**
  be ready (meal) **-béla**
  fry **-kalanga**
  roast **-tumba**
  s. **molámbi.2**
cooking pot, s. **elámbelo, mbéki, lisasú (lisasó)**
cool, vt. **-yókisa mpíɔ**
  adj. **na mwá mpíɔ malámu**
cooperate, vi. **-sungana**
copal, s. **mpaka**
copper, s. **motáko**
copulate, vi. **-sibana**
cord, s. **nsinga, nkámba**
cork, s. **litukú, ekangeli na molángi**
corkscrew, s. **ejipweli, ejitweli**
corner, s. **nsúka, ejuanelo na bitutú mibale**
corpse, s. **ebembe**
  prepared for burial **liláka**
correct, adj. **na sémbó, na sɔ́lɔ́**
  be correct **-koka, -bɔ́nga**
  vt. **-sémbola, -bɔ́ngisa**
  (punish) **-tumbola, -pésa etumbu**
correction, s. (of mistake) **kɔbɔ́ngisa**
  (punishment) **etumbu**
correspond, vi. **-kokana**
  (write letters) **-tíndana mikandá**
corrupt, vt. **-bébisa, -pɔlisa**
cost, s. **motúya, ntálo**
  how much? **motúya bóní?**
costly, adj. **na motúya míngi**

97

cotton, s. (sewing) **búsi**
cotton-wool, s. **linuka**
cotton-tree, s. *(Bombax)* **mbukulu**
couch, s. **elálelo, efandelo**
cough, vi. **-kɔsɔla (-kɛsula)**
  s. **kɔsúkɔsú (kɛsúkɛsú)**
council, s. **likita**
counsel, s. **tolí, afóka**
  vt. **-pésa...tolí**
count, vt. **-tánga motúya**
country, s. **mokili, epái, esé**
courage, s. **mpíko, moléndé**
courageous, adj. **na mpíko, na moléndé**
court, (people) s. **basámbisi**
  (place) **esámbiselo**
  vt. (a girl) **-banda**
courtyard, s. **libándá**
covenant, s. **kondimana, lingeléma, endimaneli**
  make a covenant **-káta kondimana**
cover, vt. **-jipa, -bómba**
  s. **ejipo, ekókóló**
covet, vt. **-lúla**
covetousness, s. **elúlela, bilúlela, lokoso**
cow, s. **ngɔmbɛ mwási**
coward, s. **mobángi.2, moto na moléndé tɛ**
crab, s. **lingáto, likatulu**
crack, vi. **-paswana**
  vt. **-pasola**
  s. **mokaka.10 (nkaka)**
crafty, adj. **na mayɛ́lɛ (mabé)**
crawl, vi. **-landa, -landalanda**
crease, vt. **-susa**
create, vt. **-jalisa**
creator, s. **mojalisi.2**
credit, s. **mbeka**
  buy on credit **-beka**
  sell on credit **-bekisa**
creeper, s. (plant) **nkámba**
crest, s. (bird) **lisombá**
  (hill) **nsɔ́ngé**
cricket, s. (insect) **likélélé**
crime, s. **lisumu, likambo mabé**
cripple, s. **ɛbɔsɔnɔ, mɔténgumi**
crocodile, s. **ngando, ngɔndé, nkɔ́li**
crooked, adj. **nyɔ́kanyɔ́ka**
cross, s. **ekulúsu**
  vt. (road, river) **-leka, -káta ngámbo**
  put across **-kékisa, -kengisa**
crouch, vi. **-sondama, -sunama**
crow, s. **wangana**
crowd, s. **ebelé**

crowded, adj. **na nkáká, pipipi**
crown, s. **motolé (montolé)**
crucify, vt. **-bakisa...na ekulúsu**
cruel, adj. **na yaúlí**
crumb, s. **mopumbú.10**
crunch, vt. **-kolota**
crush, vt. **-tuta, -nyɛta**
cry, vi. **-lela, -tangisa mpísoli, kongánga**
cultivate, vt. **-timola, -tima**
  (plants) **-kólisa**
cunning, s. **mayɛ́lɛ (mabé)**
cup, s. **kɔ́pɔ**
curb, vt. **-pekisa, -kitisa**
curdle, vi. **-kangana**
  vt. **-kanganisa**
cure, vt. (ills) **-bíkisa**
  (skins) **-kanda**
curiosity, s. **mpósá na koyéba ntína na likambo**
curse, vt. **-túka, -fínga, -lakela...mabé**
  s. **kofínga, elakeli mabé**
curtain, s. **elamba na ndáko**
curve, vt. **-kúmba (-gúmba)**
  be curved **-kúmbama (-gúmbama)**
  s. **likúmba, libúnu**
custom, s. **ejalélí, motíndo**
cut, vt. (across) **-káta, -jénga**
  (lengthwise) **-pasola**
  (down trees) **-káta, kwéisa**
  (into pieces) **-kátakata**

D

dagger, s. **mbɛlí na kotúmu**
daily, adj./adv. **mɔkɔlɔ na mɔkɔlɔ**
dally, vi. **-úmela, -mɔnga**
dam, s. (fishing) **moluka, (nduka)**
damage, s. **libébísí**
  vt. **-bébisa**
dance, s. **bobina**
  European style **malinga**
  vi. **-bina**
danger, s. **likámba**
darkness, s. **mólílí**
daughter, s. **mwána mwásí**
dawdle, vi. **-úmela, -mɔnga**
dawn, s. **ntɔ́ngɔ́tɔ́ngɔ́**
  daybreak, at **etání ntɔ́ngɔ́**

day, s. **mɔkɔlɔ**
  daylight, **móí**
  day before yesterday **ndɛlɛ (elekí)**
  day after tomorrow **ndɛlɛ (ekoyâ)**
  day before **mɔkɔlɔ mɔ́kɔ́ liboso na elaká**
dead, s. (person) **mokúfí, mowéi.2**
deaf, adj. **na matói makúfí**
deaf-mute, s. **ebúbú, emimi**
dear, adj. (loved) **molingami.2**
  (costly) **na motúya míngi**
death, s. **kúfa, liwá**
debt, s. **nyongo**
decant, vt. **-ángola**
decay, vi. **-béba, -kúfa**
  (go rotten) **-pɔla**
deceive, vt. **-jimbisa, -jimba, kosa**
deception, s. **kokosa, kojimba**
decide, vt./vi. (intend) **-kana**
(judge) **-káta likambo**
deck, s. **mokili**
  upper deck **mokili na likoló**
  lower deck **mokili na nse**
declare, vt. **-sakola, -sangela**
decorate, vt. **-kémbisa**
decrease, vi. **-kita, -yâ mɔké**
  vt. **-kitisa, yéisa mɔké**
dedicate, vt. **-bulisa**
deep, adj. **na bojindó**
defame, vt. **-tɔnga (-tɔ́nga)**
defeat, vt. **-leka, -buka**
defecate, vi. **-sumba nyeí, -sumba tobí, -nɛna**
defect, s. **esíká mabé, mpótá, libúngá**
defend, vt. **-wéla, -bátela, -bunanela**
deficient, to be, **-koka té, -jánga**
defraud, vt. **-yíbela, -jimbisa**
delapidated, adj. **wúsúwusu**
delay, vi. **-úmela, -mɔnga**
delete, vt. **-panja, -boma**
delicate, adj. **pɛtɛpɛtɛ, motau**
delight, vi. **-sepela**
  vt. **-sepelisa**
deliver, vt. **-sikola, -kósola**
  (baby) **-bótisa**
deliverance, s. **lisiko, likóswa**
deluge, s. **mbúla mɔnénɛ**
demi-john, s. **lisangála**
demolish, vt. **-boma, -búka**
demon, s. **molímó mabé**
demonstrate, vt. **-mɔ́nisa, -tálisa**
denigrate, vt. **-tiyola (-tiola), -tɔnga, -tuka**
denounce, vt. **-funda**

100

deny, vt. **-ángana**
depart, vi. **-longwa**
deplore, vt. **-lela**
deploy, vt. **-tanda**
deposit, s. (pledge) **ndanga**
depth, s. **bojindó**
descend, vi. **-kita**
  (river) **-tíyola (-tíola)**
  vt. **-kitisa**
descendants, s. **libóta, bána**
descent, s. **ekiteli, ekitelo**
desert, s. **lisóbé, esíká polélé**
desert, vt. **-tíka, -sábola**
  vi. **-kíma**
design, s. **elílíngi, mwángo, motíndo**
  vt. **-koma elílíngi**
  by design **na nkó**
desire, vt. **-linga, -yóka mpósá na**
  s. **mpósá**
desist, vi. **-tíka, -sála lisúsu té**
despise, vt. **-tiyola (-tiola), -sundola, -boya**
destroy, vt. **-boma, -bébisa, -panja**
deteriorate, vi. **-béba**
determine, vt. **-kána, -yánga mwángo**
detest, vt. **-yina**
detriment, s. **libébí, libomi**
deviate, vi. **-pengwa**
devil, s. **molímó mabé, satána, jabólo**
devote, vt. **-bulisa**
  devote oneself **-míbulisa**
devotion, s. **mpíko, buleε**
dew, s. **mamwé (mɔmé), lománde**
dialect, s. **lokóta.10, mɔnɔkɔ**
diarrhoea, s. **mokúngúlú, púlúpulu, kolekisa**
die, s. (for throwing) **lɔbɛsɛ.10, jeká**
die, vi. **-kúfa, -wâ, -káta motéma**
difference, s. **kɔkesɛnɛ, likeséní**
  be different from **-kɛsena na (-kɛsana na)**
difficult, adj. **na mpasi, na makási, ndɔ́ngɔ́**
  the affair has become difficult **likambo ekómí ndɔ́ngɔ́**
dig, vt. **-tima, -timola**
  dig up **-kundola**
dilatoriness **mɔngímɔngí**
diminish, vi. **-yâ mɔké, -kitana**
din, s. **makɛléle, yíkíyiki**
dine, vi. **-líya biléí na mpókwa**
dip, vt. **-yína (ína)**
direct, adv. **alimá**
  vt. **-laka, lakisa njelá**
dirt, s. **mbíndo, bɔsɔtɔ, salíte**
dirty, adj. **na mbíndo**

disappear, vi. **-limwa**
disappoint, vt. **-yókisa mawa, -jimbisa**
discern, vi. **-sɔsɔla**
discharge, vt. (canoe etc.) **-lubola**
  (gun) **-béta (mondóki)**
disciple, s. **moyékoli.2**
discontent, s. **nkáká, likaka**
discord, s. **kowélana, likaka**
  (music) **mingóngó mabé**
discourse, s. **lisolo, matéyo**
discover, vt. **-jua, -kuta, -mɔna**
  (exhume) **-kundola**
discuss, vt. **-solola (-soola), -sámba**
discussion, s. **lisolo, lisoólí, kolobana**
disembark, vt. **lubola**
  vi. **-lubwa**
disentangle, vt. **-sémbola, -bɔngisa**
disgrace, s. **nsɔni**
disgusting, adj. **sɔpisɔpi, na nsɔni**
dish, s. **saáni, lúngu**
  (prepared food) **biléí, kolíya, bilɔkɔ**
dismantle, vt. **-kangola, -bakola**
dismiss, vt. **-tínda, -palanganisa, -jóngisa**
disobedience, s. **nkanja**
disobey, vt. **-tósa té, -sála nkanja**
disorder, s. **mobulu, lofundo, búlúbulu**
disorderly, adv. **búlúbulu**
disown, vt. **-ángana, -boya**
dispatch, vt. **-tínda, -tóma**
disperse, vt. **-palanganisa, -panja**
  vi. **-palangana, -panjana**
dispute, s. **likaka, ewéli, kotíyana ntembé**
  vt. **-béta ntembé na**
  vi. **-swána**
dissolute, adj. **na wáyáwaya, na mobulu**
  dissolute person **manjolínjongo**
distance, s. **mosíká, esíí**
distant, adj. **na mosíká, na esíí**
distinguish, vt. **-kabola, -sɔsɔla**
distress, s. **mpasi, mawa**
  vt. **-yókisa mawa, -tungisa**
distribute, vt. **-kabola, -kabwela**
disturb, vt. **-bulunganisa**
ditch, s. **mwanda**
dive, vi. **-míjindisa, -míbwaka na mái**
  noise of dive **jubu**
diverge, vi. **-kɛsɛna, (-kɛsana)**
diverse, adj. **motíndo na motíndo, na mitíndo mikɛséní,**
                                ndéngé na ndéngé
divert, vt. (place) **-pɛngwisa, -pɛngɔla**
  (amuse) **-sɛkisa, -yókisa ɛsɛngɔ**

divide, vt. **-kabola**
  vi. **-kabwana**
division, s. **mokabo, ndámbo**
divorce, vt. **-kúfisa libála**
do, vt. **-sála**
docility, s. **bɔpɔlɔ, lisɔkémí**
doctor, s. **mónganga, nganga**
doctrine, s. **litéyo**
dog, s. **mbwá**
domestic, adj. **na ndáko**
  s. (servant) **mosungi.2, mosáli na ndáko**
  domestic animal **ɛbwɛlɛ**
donkey, s. **mpúnda.2/10**
door, s. **ekuké, pomé**
doorway, s. **mɔnɔkɔ na ndáko**
dot, s. **litɔ́nɔ́**
  (over letter) **nsɔ́ngé**
doubt, s. **ntembé (ntembe)**
vi. **-tíya ntembé, -béta ntembé**
dough, s. **mokáte motumbámí té**
dove, s. **ebenga**
down, adv. **na nsé**
downstream, adv. **ngɛlé**
  go downstream **-tíyola (-tíola)**
  journey downstream **motíyo**
doze, vi. **-lála mpɔngí**
  I dozed off **míso na ngáí ijalákí kotimba**
dozen, s. **ebólo na jómi na míbalé**
drag, vt. **-bénda (-benda)**
drain, vt. **-longola mái, -kaokisa**
draw, vt. (drag) **-bénda**
  (picture) **-koma elílíngi**
  (water) **-toka mái**
  (palm-beer) **-séba**
  (tooth) **-bimisa**
dread, s. **nsɔ́mɔ mɔnɛ́nɛ**
  vt. **-bánga**
dream, s. **lilɔ́tɔ.6/10 (ndɔ́tɔ)**
  vi. **-lɔ́ta**
dress, s. **elambá, moláto**
  vi. **-láta, -mílátisa**
  vt. **-látisa**
drink, s. **bimɛlí, kɔmɛla**
  vt. **-mɛla, -nwâ (-núa)**
drip, vi. **-tanga**
drive, vt. **-yamba, -támbolisa, -kamba**
  drive into **-kɔ́tisa, -jindisa**
  drive stakes in **-pika (njeté)**
  drive away **-panja**
drop, s. (liquid) **litangá, litɔ́nɔ́**
  vi. **-kwéya (kwéa)**

droppings, s. **nyeí, tobí**

drown, vi. **-kíba na mái**
  vt. **-kíbisa...na mái**

drum, s. **ngonga**
  dance-drum **ngɔma, mbonda, ndundu**
  talking-drum **lokolé, mongútú**
  for oil, etc. **pípa**

drunk, adj. **óyo alángí**
  become drunk **-lánga**
  make to be drunk **-lángisa**

drunkard, s. **molángi**

drunkenness, s. **lilángó, bolángá**

dry, adj. **óyo ekaókí**
  vt. **-kaokisa**
  (pottery) **-yomisa**
  vi. **-kaoka, -yoma**

drying frame (fish, meat) **motáláká**

dubious, adj. **na ntembé**

duck, s. **libáta**

dumb, adj. **emimi, na mongóngó tɛ́**
  deaf and dumb **ebubu**

dung, s. **nyeí, tobí**

dungeon, s. **kasó, bɔlɔ́kɔ**

dupe, vt. **-jimbisa**

during, prep. **ntángo na, káti na**

dusk, s. **molílí na mpókwa**
  at dusk **ekúfí butú**

dust, s. **mputúlu, mpumbú**
  speck of dust **mopumbú.10**
  vt. **-pupola**

duty, s. **lotómo, mosálá, etíndá**

dwarf, s. **motwá (motúa).2**

dwell, vi. **-fanda, -kisa, -jalela**

dwelling, s. **ndáko, ejalelo, efandelo**

dwindle, vi. **-kita, -yâ mɔké, -tunga**

dye, s. **lángi, mokóbo**

dysentery, s. **mokúngúlú, púlúpulu, kolekisa**

E

each, adj. **mɔ́kɔ́ na mɔ́kɔ́**
  each book **mokandá na mokandá**
  each house **ndáko na ndáko**
    pron. **moto na moto, ɛlɔ́kɔ na ɛlɔ́kɔ**
  each in his house **moto na ndáko na yé, moto na**
                                        ndáko na yé

eager, adj. **na mpósá míngi**

eagle, s. **mpóngó**

ear, s. **litói**
   of maize **lisango**

early, **na libosó**
   in morning **na nsósó na libosó**

earn, vt. **-jua (mbóngɔ)**

earnest, adj. **na moléndé**
   s. **ndanga**

earth, s. (world) **mokili, nsé**
   (soil) **mabelé**

earthenware, s. **mbélé**

earthworm, s. **loambo.10 (mpambo), mɔsɔpi.10 (nsɔpi)**

east, s. **epái na likoló, ebimelo na mói**

easy, adj. **na makási té, motau**

edge, s. **nsúka, molelo**
   cutting edge **líno, mɔpɔtú, mpíá**

eat, vt. **-líya (-lía)**
   voraciously **-lunda**

ebony, s. **mbanja**

eccentricity, s. **bolémá**

education, s. **matéyo, ndakisa**

eel, s. **njɔmbó, nsɛmbɛ**

efface, vt. **-panja, -boma**

effort, s. **komeka makási**
   to evacuate **-kema**

egg, s. **likeí**

egg-plant, s. **losuke.10 (mosuke.10)**

egret, s. **mokwela**

eight, adj. **mwambe**

eighty, adj. **ntúkú mwambe**

either, conj. **sókó, to**
   either...or **sókó...sókó, to...to**

elbow, s. **libóngó na lɔbɔ́kɔ (libɔ́lɔ́ngó)**

elder, s. **mobangé.4, mokóló.4, mpaka**
   adj. **nkulútu.2**

elect, vt. **-pɔna (balobeli)**

election, s. **kɔpɔna balobeli**

electricity, s. **lotilíki,**
   (of electric fish) **monili**

elephant, s. **njɔku.2/10**
   trunk **bwembo**
   brush from tail **epunja**

elevate, vt. **-tómbola, -nétɔla**

eleven, adj. **jómi na mókó**

else, adj. **mosúsu**
   adv. **sókó boye té**

elsewhere, adv. **na esíká mosúsu**

emaciated, adj. **óyo akóndí míngi**

embark, vt. **-kótisa na masua**
   vi. **-kóta na masua**

embarrass, vt. **-yókisa nsóni**

embed (in ground), vt. **-pika**
embezzle, vt. **-yíba, -líya**
emblem, s. **elembo**
embrace, vt. **-bumela**
emerge, vi. **-bima, -mɔ́nana**
   (from water) **-lubwa**
emery (*Ficus* leaf) **esésé**
emetic, s. **nkísi na kosánjisa**
emphasize, vi. **-loba makási**
employ, vt. **-sálisa mosálá, -pésa mosálá**
employee, s. **mosáli.2**
   office employee **mosáli na biló**
employer, s. **mokóló na mosálá**
employment, s. **mosálá**
empower, vt. **-pésa bokonji**
empty, adj. **mpámba, na ɛlɔ́kɔ tɛ**
   vt. **-bimisa bilɔ́kɔ na káti**
   (liquids) **-sopa**
encampment, s. **moláko.10**
enchant, vt. **-benda míso, -lɔka**
enchantment, s. **ndɔki**
enclosure, s. **lopango.6**
encourage, vt. **-léndisa, -yíkisa mpíko**
encumbrance, s. **nkáká, mokúmbá**
end, s. **nsúka, esílelo**
   sign of end of palaver **móndengé**
   vi. **-síla, -súka**
endless, adj. **na nsúka té, libélá**
endurance, s. **motéma molaí, mpíko, etíngyá (etíngíá)**
endure, vi. **-úmela, -yenga**
   (patiently) **-kanga motéma, -yíka mpíko**
enema, s. **ntóngo**
   give an enema **-tóngola**
enemy, s. **moyini.2, monguna.2**
energy, s. **nguyá, makási, mpíko**
engage, vt. (marriage) **-bandisa**
   be engaged **-banda**
engender, vt. **-bóta**
engine, s. **masíni**
engulf, vt. **-jindisa**
enjoy, vt. **-sepela**
enlarge, vt. **-kólisa, -fulisa, -yéisa mɔnénɛ**
enmity, s. **likúnyá, júá, lilángá**
enormous, adj. **mɔnénɛ míngi**
   enormous object **ebuki na ɛlɔ́kɔ, ebákátá na ɛlɔ́kɔ**
enough, adv. **ekokí**
   be enough **-koka, -bɔ́nga**
enquire, vi. **-túna**
enquirer, s. (for information) **motúni.2**
   (catechumen) **mobili.2**
enrage, vt. **-ngalisa, -yókisa nkɛlɛ**

ensign, s. bɛndélɛ
enslave, vt. -tíya na boombo, -kamata moombo
enter, vi. -kɔ́ta, -íngela
entice, vt. -léngola
entire, adj. mobimba, yɔ́nsɔ
entrails, s. misɔpɔ́, nsɔpɔ́
entrance, s. mɔnɔkɔ (na ndáko), ekuké, pomé
entreat, vt. -bɔ́ndɛla
entrust, vt. -pésa na lɔbɔ́kɔ na
enumerate, vt. -tánga motúya
envelope, s. ɔfɛlɔ́pɔ
   vt. -jíngela, -jipa
envoy, s. ntómá.2, motíndami
envy, s. kolúla, elúlela
   vt. -lúla, -lúlela
epilepsy, s. mosíngá, bosíngá
equal, adj. óyo ekokání na, na motíndo mɔ́kɔ́
   to be equal -kokana na
equalize, vt. -kokanisa, -yéngɛbɛnisa
erase, vt. -panja, -boma
erect, vt, -tónga, (-tonga), -télɛmisa, -témisa
   from bending position) -kúmbola
erode, vt. -líya
err, vi. -búnga
error, s. libúngá
escape, vi. -kima, -bima, -míbíkisa
escort, vt. -kamba, -tíkana, -támbola ɛlɔngɔ́
establish, vt. -léndisa, -fandisa
eternal, adj. na sékó, na lobíko na lobíko
eternity, s. sékó, lobíko na lobíko
Europe, s. Mpótó
evacuate, vi. -longwa na esíká
   vt. (medical) -sumba (nyeí)
evade, vt. -pɛngwɛla
evangel, s. Nsango Malámu
evangelist, s. mosakoli.2
evaporate, vt. -kaokisa, -yomisa
   vi. -kaoka, -limwa, -yoma
even, adj. álima, pátátáló, lambasanu, motíndo mɔ́kɔ́
   conj. átâ
evening, s. mpókwa
event, s. likambo, mpɔ̂
ever, adv. (for ever) libélá, sékó
every, adj. yɔ́nsɔ
everywhere, adv. bipái yɔ́nsɔ, epái na epái
evidence, s. litatólí
   give evidence -tatola
evil, s. mabé
ewe, s. mpaté mwásí
exact, adj. sémbó, sɔlɔ́, na bɔyéngébéné
exaggerate, vt. -lekisa, -pusa

exalt, vt. **-kúmisa**
examination, s. **emekeli, komekama**
examine, vt. **-meka, -tála pɛnɛpɛnɛ**
example, s. **etáliseli, emekeli**
exasperate, vt. **-túmola, -tungisa**
exceed, vi. **-pusa, -leka**
excel, vi. **-pusa, -leka, -lónga**
excellent, adj. **na malámu bɛɛ**
except, prep. **longólá**
   vt. **-longola, -tíka**
excess, s. **míngi koleka**
exchange, vt. **-sɛnja, -sombotana**
excite, vt. **-pésa...símbisi**
exclaim, vi. **-loba pwasa, -nganga**
exclude, vt. **-tíya libándá, -bimisa**
excrement, s. **nyeí, tobí**
excrete, vt. **-sumba, -nɛna**
excuse, s. **mokalo**
   vt. **-límbisa**
   make excuses **-tíya mikalo**
exhale, vi. **-bimisa mpéma**
   smell **-lumba**
exhaust, vt. (use up) **-sílisa**
   (tire) **-lɛmbisa**
   s. (car) **ebimelo na mólinga**
exhort, vt. **-pésa tolí**
exhortation, s. **tolí**
exhume, vt. **-kundola**
exile, vt. **-tínda na mokili mosúsu**
exit, s. **ebimelo**
exodus, s. **kobima, kolongwa**
exonerate, vt. **-lóngisa**
expect, vt. **-tálela**
expectorate. vi. **-twâ nsɔ́i**
expel, vt. **-bimisa, -bengana na, -panja**
expenses, s. **mɔsɔlɔ mobimisámí, lifútí**
expire, vi. (die) **-kúfa, -káta motéma, -wâ, -bimisa mpéma**
   (stop) **-síla, -kóma na nsúka**
explain, vt. **-limbola ntína, -tingola, -yébisa polélé**
explanation, s. **kolimbola, ndimbola**
explore, vt. **-tálatala, -sɔsɔla epái na epái**
explorer, s. **motámboli na mokili na sika**
express, vt. (juice) **-kamola**
   (speech) **-loba, -yókisa, -yébisa**
expressly, adv. **na nko**
extend, vt. **-benda molaí, -yéisa molaí**
exterior, adj. **libándá**
extinguish, vt. **-boma, -jimisa**
extort, vt. **-longola na nguyá, -bɔtɔla**
extract, vt. **-bimisa, -longola**

extraordinary, adj. **na kokamwa**
extremity, s. **nsúka, nsóngé**
eye, s. **líso (pl. míso)**
eyebrow, s. **lokíki.10**
eyelash, s. **lɔkóngíá.10**
eyelid, s. **lɔtɔ́kɔ.10**

F

fable, s. **lisapo, lisese**
face, s. **elongi**
factory, s. **tálie, esálelo**
faeces, s. **nyeí, tobí, bɔsɔtɔ**
fail, vi. (exam) **-lónga té, -kwéya**
   (spoil) **-béba, -kúfa**
faint, vi. **-senjwa**
faith, s. **kondima, endimanélí**
faithful, adj. **sémbó, na bɔyéngébéné**
   s.pl. **bayéngɛbɛni**
fall, vi. **-kwéya**
   fall ill **-bɛla (malali)**
   s. **kokwéya**
false, adj. **na lokutá**
   (hypocritical) **na bokosi**
falsehood, s. **lokutá.10**
fame, s. **lokúmu**
family, s. **libóta**
famine, s. **njala makási**
famous, adj. **na lokúmu**
fan, s. **epupeli**
   vt. **-pupa**
far, adv. **mosíká, esíí**
   as far as **kíno**
   so far **naíno**
farewell, s. **kotíkana**
   to say farewell **-tíkana, -lakana**
fast, s. **kokila**
   vi. **-kila**
   adj. **na mbángo**
   (firm) **ngwí, na makási**
fasten, vt. **-kanga, -funga, bakisa**
fat, s. **mafúta**
   adj. **na mafúta**
fatal, adj. **na liwá**
father, s. **tatá.2**
father-in-law, s. **bokiló**

fathom, s. (cloth) lɔbɔ́kɔ.6
  vt. -yéba bojindo
fatigue, s. bɔlɛmbú, mpii
fault, s. libúngá, ekwélí, mabé
  be at fault -kwéya, -bɔ́nga té, -lónga té
favour, vt. -sálela na bobóto, -linga
  do a favour -sunga mpɔ̂ na bolingo
fear, vi. -bánga, -yóka nsɔ́mɔ
  s. nsɔ́mɔ, kobánga
fearlessness, s. moléndé, kojánga nsɔ́mɔ
feast, s. elámbo
  vi. -líya elámbo
feather, s. losálá.10
feeble, s. na motau, na pɛtɛpɛtɛ, na bɔlɛmbú
feed, vi. -líya
  vt. -léisa
  (bring up) -bɔkɔla, -kólisa
  (breast feed) -núngisa
  (at breast) -núnga
feel, vi. -yóka
  (touch) -mama
feign, vi./vt. -kosa, -jimbisa
fell, vt. (tree) -kwéisa, -káta
fellow, s. moníngá.2
  my fellow countryman moto na mokili mɔ́kɔ́ na ngáí
fellowship, s. kosangana
female, s. mwásí.2
  sterile female ekomba
fence, s. lopango.6/10
ferocious, adj. na yaúlí
fertilise, vt. -bótisa
fetch, vt. -yéisa, -yâ na
fetish, s. nkisi, mónganga
  (against robbers) nseká
fetters, s. nkanga, minyɔ́tɔ
feud, s. likaka, kowélana
fever, s. mɔ́tɔ na njóto, maláli na mɔ́tɔ
  have a fever -bela milunge, -bela maláli na mɔ́tɔ
few, adj. bɔbɛ́lɛ́ mɔké, míngi té, mwa
fiancé(e) mobandi.2
fibre, s. nkanga, mosisa
  (linen) nkongé, nkongékongé
fickle, adj. na mitéma míbalé
field, s. elanga
  sportsfield libándá
fierce, s. na yaúlí
  to be fierce -ngala
fifteen, adj. jómi na mítáno
fifth, adj. na mítáno
fifty, adj. ntúkú mítáno

110

fight, s. **etumba, kobunana**
  vt. **-buna, -bunda**
  vi. **-bunana, -bundana**
figure, s. (number) **motúya**
  (shape) **loléngé, motíndo**
figurine, s. **ekeko**
file, s. (metal) **mosío**
  (for papers) **ekókóló**
  vt. (wood, metal) **-nyaka, -kósa**
  (papers) **-tíya na ekókóló**
  (soldiers etc) **-leka na mɔlɔngɔ́ mɔ́kɔ́**
fill, vt. **-tóndisa**
  fill in (hole) **-boka**
  be filled up **-tónda maa**
filter, s. **ekóngweli**
  vt, **-kóngola**
filth, s. **bɔsɔtɔ, pɔtɔpɔ́tɔ**
fin, s. **lipapú**
final, s. **na nsúka**
find, vt. **-kúta, -jua, -mɔ́na**
fine, adj. **na malámu bɛɛ, na kitɔ́kɔ**
finery, s. **molátó kitɔ́kɔ, nkémbɔ**
finger, s. **mosapi (na lɔbɔ́kɔ)**
finish, vi. **-síla, -súka**
  vt. **-sílisa, -súkisa**
  s. **esílelo, nsúka**
fire, s. **mɔ́tɔ (pl. miɔ́tɔ)**
  fire (gun) **-béta mondóki**
fire-brand, s. **esungi**
firefly, s. **mɔtɛnitɛni.10**
fireplace, s. **litúká, lifika (mafika)**
firewood, s. **lokóni.10 (nkóni)**
  (small) **nkanju**
firm, adj. **na makási, ngwí**
first, adj./adv. **na libosó**
firstborn, s. **mwána na libosó**
fish, s. (general) **mbísi, samáki**
  spp. *Barillus* **mokobe**
    Citharius **liyanga**
    Chrysichthys **nkámbá**
    Distichodus **mbótó**
    Eutropia **lilangwá**
    Hydrocyon (perch) **menga**
    Gnathonemus **mbɔngɔ**
    Malopterurus (electric) **niná, monili**
    Mormyrops **njánda**
    Palmatachromis **ekábá**
    Polypterus **mokóngá**
    Synodontis **likóko**
    Tetraodon **mbubú**
  small, sardines **ndakála**

smoked, dried in salt **makayábu**
  vt. (with line) **-lɔ́ba**
  (with basket) **-pɛpa, -popa**
  (with harpoon) **-túma**
  (with net) **-luba**
fisherman, s. **molubi mbísi, mobomi mbísi**
  unsuccessful fisherman **motutu**
fish-hook, s. **ndɔ́bɔ, eyóngo**
fishing, s. **moluka, mosálá na mbísi**
fist, s. **ɛbɔtu**
  blow with fist **likɔ́fi**
five, adj. **mítáno**
fix, vt. **-bakisa, -kanga, -bɔ́ngisa**
flag, s. **bɛndélɛ (bɛndéla)**
flame, s. **epelelo (na mɔ́tɔ)**
flat, adj. **lambasanu, pátátáló**
  fall flat on back **-kwéya kalee**
flatten, vt. **-nyɛta álima**
flea, s. **losili.10**
flee, vi. **-kíma**
fleece, s. **nkunja, nkúngé**
flesh, s. **mosuni, nyama**
flight, s. (in air) **lipombwá**
  (running away) **kokíma**
fling, vt. **-bwáka**
float, vi. **-tépa**
  s. **etépiseli**
flock, s. **ɛtɔ́nga**
flog, vt. **-béta...mpímbo**
flood, s. **mpela**
  vt. **-jindisa (na mpela)**
floor, s. **nsé na ndáko**
  (storey) **mokili**
flour, s. **mfufú (fufú)**
flow, vi. (water) **-tíyola (-tíola), -leka**
flower, s. **folólo (fɛlɛlɛ)**
flute, s. **polólo, lifunge**
fly, s. **nkangi**
  (biting) **elánja**
  (tsetse) **lipokopóko**
  vi. **-pombwa**
  (run away) **-kíma**
fly swatter, s. **epunja**
foam, s. **mfulu**
foe, s. **moyini.2, monguna.2**
foetus, s. **jémi**
fog, s. **londendé.10**
fold, vt. **-kúmba, -buluka, -súsa, -kanga**
  s. (cloth) **mbuluka, lisúsa**
  (sheep) **lopango**
foliage, s. **nkásá, matíti**

112

follow, vt. **-bila, -landa**
following, adj. **na nsima**
  prep. **pelamɔkɔ́, lokóla na, nsima na, kobila**
  s.pl. **babili**
folly, s. **jóba, elémá, ligbómá**
fool, s. **moto na jóba, ebébé**
foolishness, s. **bojóba, bolémá**
foot, s. **litíndí, lokolo.10**
football, s. **ndembó, mopíla**
  kick-off football **-tóndola ndembó**
footprint, **litámbé**
for, prep. **mpɔ̃ na**
forbearance, s. **motéma molaí, motéma pɛtɛɛ**
forbid, vt. **-pekisa, -kilisa, -bóya**
force, s. **nguyá, makási**
  vt. (person) **-sálisa...makási**
  (thing) **-búka**
forefather, s. **nkɔ́kɔ.2**
forego, vt. **-tíka**
forehead, s. **elongi, libosó**
foreign, adj. **útá na mokili mosúsu**
foreigner, s. **mopaya, mɔmbɔti**
foreman, s. **kapíta, mɔkéngɛli**
foreskin, s. **ngenga, nsɔ́ngé**
forest, s. **jámba**
forfeit, s. **ndanga, nyanga**
forge, s. **etúlelo**
  (bellows) **nkúka**
  vt. **-túla**
forget, vt. **-bósana, -búnga**
forgive, vt. **-límbisa, -tíkela**
fork, s. (in road) **njelápánda**
  (for food) **nkanya**
form, s. (shape) **loléngé.10, motíndo**
  (seat) **libáyá, etanda**
  vt. (pottery) **-yéma**
former, adj. **na libosó**
formerly, adv. **kala, kalakala**
fornication, s. **pité, ekóbo**
forsake, vt. **-tíka, -sábola**
fortune, s. (riches) **misɔlɔ, bojui**
  (luck) **makilá malámu**
  (bad luck) **makilá mabé**
forty, adj. **ntúkú mínei**
forward, adv. **na libosó**
foul, adj. **na bɔsɔtɔ, na mbindo**
foundation, s. **mobóko**
fountain s. **etóko, ebimelo na mái**
four, adj. **mínei**
fourteen, adj. **jómi na mínei**
fowl, s. **nsósó**

fox, s. **ngambela**
fraction, s. **ndámbo, eténí**
fracture, s. **kobúkana, kokátana**
fragment, s. **eténí, mwá ndámbo mɔké, epaso**
fragrance, s. **malási, nsólo kitɔ́kɔ**
frail, adj. **pɛtɛpɛtɛ, bɔlɛmbú, motau**
frame, s. (for drying fish) **motáláká, etangé**
franc, s. **lofalánga, (lofalánka)**
frank, adj. **na sémbó, na sɔ́lɔ́, na kobómba likambo tɛ**
free, adj. (no cost) **mpámba, na lifútí té**
    (liberated) **óyo esikwí, óyo ekangámí té**
    vt. **-sikola, -kósola**
    free person (not slave) **nsɔ́mi.2**
freeze, vi. **-kangama (na mpíɔ)**
    vt. **-kangamisa**
frequently, adv. **mbala míngi**
    (use habitual suffix of verb: -AK- ex. he walks here
                        frequently **akotámbolaka áwa**)
frequent, vt. **-fanda epái na, -támbolaka epai na**
fresh, adj. **(not preserved) mobésu**
    (cool) **na mpíɔ**
Friday, s. **mɔkɔlɔ na mítáno**
friend, s. **moníngá.2, ndeko.2**
friendship, s. **bondeko**
fright, s. **nsɔ́mɔ**
frighten, vt. **-bángisa, -pésa...nsɔ́mɔ**
frightening, adj. **na nsɔ́mɔ**
fritter, s. **mokáte mɔké**
frog, s. **liluku, likwɔ́lɔ́lɔ́ (ligbɔ́lɔ́lɔ́)**
from, prep. **útá na, na, longwá na**
front, s. **libosó, elongi**
    in front of **libosó na**
froth, s. **mfulu**
frown, vi. **-kanga elongi, -silika**
fruit, s. (general) **mbuma**
    plantain, **likémba, likɔndɔ**
    ripe plantain, **ntelá**
    sweet banana, **kitíka, etabe**
    lemon, **londímo.10**
    custard-apple, **mɔpɔmbí.10**
    coeur-de-boeuf, **mondéngé**
    guava, **lipela**
    safou, **mosao.10**
    orange, **lilála**
    miracle berry, **mbunga**
fry, vt. **-kalanga**
fulfil, vt. **-kokisa, -sílisa**
full, adj. **óyo etóndí maa**
    become full **-tónda**
fullness, s. **litóndí**
fun, s. **kosana, kɔsɛkana**

114

function, s. (office) lotómo, mosálá
   (assembly) koyángana
funeral, s. matángá, kokunda
funnel, s. mokongolo
   (boat) mɔmbɔnda
fur, s. nkúngé, nkunja
furnace, s. litumbo, etumbelo
fury, s. nkɛlɛ, nkanda
furious, to be -ngala
future, s. ntángo ekoyâ

G

gain, s. litómba, bojui
gait, s. etámbwélí, etámbólí
gall, s. njɔngɔ
gamble, vi. -béta jeké, -béta mbɛsɛ
game, s. lisano, kosana
   board-game mɔkébɛ, ngola (mangola)
garden, s. elanga
garment, s. elambá
gate, s. ekuké
gateway, s. mɔnɔkɔ (na lopango)
gather, vt. -yánganisa, -tákanisa
   (pick up) -lɔkɔta
   (taxes) -kɔ́ngɔla, -tákola
   vi. -yángana, -tákana
gay, adj. na ɛsɛngɔ
gaze, vi. -tála píí
gazelle, s. mbólókó.2/10
genealogy, s. libóta útá na kala
generation, s. libóta
generous, adj. na makabo, na bobóto
generosity, s. bobóto, likabo
gentle, adj. na bɔpɔlɔ, malémbɛ
gently, adv. malémbɛ malémbɛ, na mɔí na mɔí
get, vt. -kwâ, -jua, -kamata
   get up from -télɛma, nétwa
   get out (of bed) -bima (na mbétó)
ghost, s. mɔngɔ́lí.2, molímó.2
giant, s. elombe
gift, s. likabo
   (tip) matabísi
gills, s. masalu
girl, s. mwána mwásí
   unmarried girl, ndúmba

give, vt. **-pésa, -kabela**
 give up, vt. **-tíka, -lɛmba**
glad, adj. **na ɛsɛngɔ**
glass, s. **talatála**
 (for drinking) **nkéni, kɔ́pɔ**
glide, vt. **-lémba**
glistening, adj. **lángilángi**
glorify, vt. **-kúmisa, -sanjola**
glory, s. **nkémbɔ, lokúmu**
gnaw, vt. **-kolota**
go, vi. **-kɛnda, -támbola**
 go back, **-jónga**
 go bad, **-béba**
 go downstream, **-tíyola (tíola)**
 go from, **-longwa**
 go in, **-kɔ́ta, -íngela**
 go out, **-bima**
 go through, over **-leka**
 go sick, **-bɛla maláli**
 go up, **-buta**
 go upstream, **-kɛnda likoló**
goal, s. **nsúka, elíkyá**
 (football) **mikelé**
goat, s. **ntaba**
God, s. **Njámbé.2 (Njambé)**
gold, s. **wɔ́lɔ, mpaóni**
gong, s. **ngonga**
 bell-shaped, metal **elónja, lilongá**
 wooden, talking **lokolé**
gonorrhoea, s. **sopísi (sofísi)**
good, adj. **malámu**
goods, s. **bilɔ́kɔ, bojui**
gospel, s. **nsango malámu**
gossip, s. **kosoolana, lisolo**
 vi. **-soolana (-sololana)**
gourd, s. **ekútu**
govern, vt. (boat) **-yíka yenda**
 (country) **-támbolisa, -yángela…mwángo**
government, s. **letá**
grace, s. **ngɔlu, bobóto**
grain, s. **mombuma.10, lokóto.10**
grandparent, s. **nkɔ́kɔ.2**
grandchild, s. **mwána na mwána**
grant, s. **likabo na mɔsɔlɔ**
 vt. **-pésa**
grass, s. **matíti**
grasshopper, s. **liyóyó, likélélé**
grateful, adj. **na matɔ́ndí**
gratitude, s. **matɔ́ndí, ebóto**
gratuity, s. **matabísi**
grave, s. **liyita (lilita), nkunda, mɔbɔmba**

116

gray, adj. **mwá mwíndo**
  gray hair **mobwí.10**
graze, vi. **-líya matíti**
  vt. **-léisa (bibwélé)**
grease, s. **mafúta**
great, adj. **mɔnénɛ.2**
greed, s. **elúlela, lokósó, mpósá míngi**
green, adj. **lángi na nkásá, mobésu**
  unripe fruit **mogugu**
greens, adj. **ndunda**
greet, vt. **-pésa...mbɔ́tɛ, -pésa...losako**
greeting, s. **losako.10, mbɔ́tɛ**
grey, adj. (= gray) **mwá mwíndo**
  grey hair **mobwí.10**
grief, s. **mawa**
grind, vt. **-túta, -fínya**
  grind teeth **-pelisa míno**
grip, vt. **-simba, -kanga, -kamata**
groan, vi. **-lela, -kímela**
  s. **mokíma, mobémo**
grope, vi. **mamamama**
ground, s. **mabelé, nsé**
  vi. (boat) **-kakema**
group, s. (people, objects) **ebólo**
  (houses) **etúká**
grow, vi. **-kóla, -kóma mɔnénɛ**
  vt. **-kólisa**
growl, vi. **-imaima, -kímela**
growth, s. **kokóla**
grudge, s. **likúnyá, lilángá**
grunt, vi. **-kímela**
guard, vt. **-kéngɛla, -bátela, -sénjɛla**
  s. **mobáteli, mɔkéngɛli, sínjílí.2**
guide, vt. **-támbolisa, -kamba, -lakisa njelá**
  s. **mokambi, motámbolisi**
guilt, s. **ekwéli**
guinea-fowl, s. **likémɛ**
gun, s. **mondóki (bondóki), fatáki**
gunpowder, s. **balúti**

H

habit, s. **ejalélí, motíndo, mɔmɛsanɔ**
habitation, s. **ndáko, efandelo, ejalelo**
haft, s. **lɔbɔ́kɔ, esimbelo**
hailstone, s. **litándálá**

117

hair, s. (head) losúki.10, moswé (loswé).10
  (body) mokunja.10
  (white) mobwí.10
half, s. ndámbo, ndámbo na míbalé
hall, s. ndáko mɔnɛ́nɛ, eyanganelo
hallow, vt. -bulisa
halt, vi. -télɛma, -tíka kotámbola
  s. ɛtémɛlɔ, epémelo
  (lame person) mɔténgumi
hammer, s. njondó
hammock, s. tipói (kipói)
hand, s. likata, lɔbɔ́kɔ.6
handcuffs, s. minyɔ́tɔ (manyɔ́tɔ, menɔ́tɔ,
                               nkangá, bikangeli)
handle, s. lɔbɔ́kɔ.6, esimbelo
  vt. -mama, -simba na mabɔ́kɔ
handsome, adj. na kitɔ́kɔ, bonjéngá
hang, vi. -kákema
  vt. -kákisa
happiness, s. ɛsɛngɔ, kosepela
happy, adj. na ɛsɛngɔ, na kosepela
hard, adj. na makási, na mpási
harden, vt. -yéisa makási
hard-hearted, adj. na motéma makási
hardship, s. mpási, bɔlɔ́jí
hardy, adj. na makási, na nguyá
harem, s. ndɔngɔ́
harlot, s. mwásí na pité, mwásí na misíki
harm, s. mabé
harmful, adj. óyo ekoyéisa mabé
harmony, s. mingóngó kitɔ́kɔ, kondimana
harp, s. njénjɛ (na kɔbéta njémbo)
harpoon, s. mosóí
hassock, s. ajenu, etíyelo na mabɔ́ngɔ
harsh, adj. na yaúlí
harvest, vt. -búka mbuma
  harvest festival matɔ́ndɔ́
haste, s. mbángo
hasten, vi. -yâ mbángo, -sála nɔkí
hat, s. ɛkɔti
hatch, vt. -bóta (-bána na nsósó, mabáta...)
hatchet, s. sóka
hate, vt. -yina, -yókela...júá
have, vi. -jala na, -kwã
haven, s. ɛsémɛlɔ
hawk, s. kómbékómbé
he, pron. yé (mobáli)
head, s. motó
head-ache, s. motó mpási
  I have a headache motó esálí ngáí

118

heal, vt. **-bíkisa**
  vi. **-bíka**
healer, s. **mobíkisi.2, nganga.2**
health, s. **njóto makási**
heap, s. **libóndo**
hear, vt. **-yóka**
heart, s. **motéma, molókó**
hearth, s. **litúká, lifíka (mafíka), mɔ́tɔ**
heat, s. **mɔ́tɔ**
  (of body) **milunge, molunge**
  (of sun) **mói**
heathen, s. **mopakano.2**
heaven, s. **likoló, lóla, epái na Njámbé**
heavy, adj. **na bojitó, kiló**
hedge, s. **lopango.6**
hedgehog, s. **nsimbiliki**
heed, vi./vt. **-keba, tósa**
heel, s. **litíndí, nsúka na litíndí**
height, s. **molaí, mosándá**
heir, s. **motúki na libula, mokitani**
hell, s. **lifelo**
help, s. **lisungí**
  vt. **-sunga, -sálisa**
helper, s. **mosungi.2**
hem, s. **nsúka (na elambá)**
hemorrhage, s. **kobima na makilá**
hemp, s, (narcotic) **mbángi (bángi)**
  (cord) **nkongékongé**
  smoke hemp **-mɛla mbángi**
hen, s. **nsósó mwásí**
henceforth, adv. **longwá ntángo óyo**
her, pron. **yé (mwásí)**
  adj. **na yé (mwásí)**
herd, s. **ɛtɔ́nga**
here, adv. **áwa, na esíká óyo**
hereditary, adj. **útá na babóti**
heritage, s. **libula**
hernia, s. **língúndu**
hero, s. **moto na moléndé**
heron, s. **mɔnyɛngɛnyɛngɛ, mokwela**
hesitate, vi. **-simbasimba, -sála nɔkí té**
hew, vt. **-káta, -kwéisa**
hiccough, s. **lisɛkusɛku**
hide, vt. **-bómba, -jipa**
  vi. **-míbómba**
high, adj. **molaí**
  high priest **nganga mɔnénɛ**
highway, s. **balabála**
hill, s. **ngómba, nkéka**
him, pron. **yé (mobáli)**
hinder, vt. **-pekisa, -tungisa**

hinge, s. **lisisi**
hip, s. **mokwa na lokéto**
hippopotamus, s. **ngubú.2**
hiss, vi. **-sisa**
history, s. **makambo malekí, makambo na kala**
hit, vt. **-béta, -bola, -túta**
hitherto, adv. **kíno sásaípi**
hive, s. **ndáko na njóí**
hoard, vt. **-bómba**
    s. **bilɔ́kɔ bibómbámí**
hoarse, adj. **na mongóngó mokaókí**
hoe, s. **lokóngo.10**
    vt. **-tima, -timola**
hog, s. **ngulú mobáli**
hoist, vt. **-nétɔla, -tómbola, -butisa**
    s. **jɛki**
hold, vt. **-simba, -kamata**
    s. (ship) **nkɔbé**
    hold a meeting **-yángana**
    hold firm **-télema, -sála na nguyá, -simba ngwí**
hole, s. (ground) **libulú**
    (opening) **njelá, lilúsu**
holiday, s. **yenga (eyenga)**
hollow, adj. **mpámba epái na káti**
holy, adj. **bulɛɛ, mosánto, na Njámbé**
home, s. **efandelo, ndáko, epái na babóti**
honest, adj. **sémbó, na lokutá té**
honey, s. **mafúta na njóí**
honour, s. **lokúmu, lisímí**
hook, s. **ndɔ́bɔ**
hooligan, s. **moto na wáyáwaya**
hoop, s. **jeló**
hop, vi. **-pombwapombwa, -pombwa na lokolo mɔ́kɔ́**
hope, s. **elíkyá (elíkíá)**
    vi. **-líkyá (-líkíá)**
horizontal, adj. **kalee, óyo elálí na nsé**
horn, s. (animal) **liséké (liseke)**
    (music) **mondúle**
hornet, s. **mongunjangunja.10**
horrible, adj. **na nsɔ́mɔ mabé míngi**
horse, s. **mpúnda,2/10, mbaláta.2**
hospitable, adj. **na linyángélí**
hospital, s. **ɔpitálo, (lɔpitálo)**
host, e. (group) **ebelé**
    (at feast) **mɔpési na elámbo, nkóló na elámbo**
hostile, adj. **na likúnyá, na júá**
hot, adj. **na mɔ́tɔ**
hotel, s. **ndáko na mobémbo**
hound, s. **mbwá na mobengi**
    vt. **-bengana na**
hour, s. **sáa, ntángo, elaká**

house, s. **ndáko**
household, s. **bato yɔ́nsɔ na ndáko**
how, adv. **bóní, njelá níni**
howl, vi. **-lela makási**
hubbub, s. **makɛlɛ́lɛ, yíkíyiki**
hug, vt. **-búmela**
huge, adj. **mɔnɛ́nɛ míngi**
   huge person **ebákátá na moto**
hull, s. (boat) **eyángelo, ebándelo**
human, adj. **na bomoto, na bato**
   human being **moto.2**
humble, adj. **na bɔpɔlɔ, na lisɔkɛ́mi**
humid, adj. **na milunge**
humiliate, vt. **-sɔkisa, -yókisa nsɔ́ni**
humour, s. **makambo na kɔsɛkisa bato**
hundred, adj. **mokámá.10**
hunger, s. **njala**
   vi. **-yóka njala**
hungry, adj. **na njala**
hunt, s. **motáí, monyámá**
   vt. **-benga**
hunter, s. **mobengi.2**
hurl, vt. **-bwáka**
hurricane, s. **mɔpɛpɛ makási míngi**
hurry, vi. **-támbola mbángo, -sála nɔkí**
   hurry up **támbólá! nɔkínɔkí!**
hurt, vi. **-yóka mpási**
   vt. **-yókisa mpási**
husband, s. **mobáli.2**
hush, s. **kímyá (kímíá), nyɛ**
   vt. **-jalisa nyɛ**
   interj. **kímyá!**
husk, s. **loposo.10**
hut, s. **ndáko mɔkɛ́, nganda**
hyacinth (water), s. **kóngo na sika**
hyena, s. **ngombolo**
hymn, s. **loyémbo.10 (njémbo)**
hypocrisy, s. **bokosi**
hypocrite, s. **mokosi.2**

I

I, pron. **ngáí**
idea, s. **likanísí, lobánjo**
idiocy, **bojóba, bolémá**
idiot, s. **jóba, ebébé, elémá**
idle, adj. **pasasi, gɔigɔ́i**

idol, s. **ekeko**
if, conj. **sɔ́kɔ́ (sɔ́kí)**
ignorant, adj. **na boyébi té**
ignore, vt. **-yéba té, -tíka, -tiyola (tiola)**
ill, to be vi. **-bɛla maláli, -kɔna**
illness, s. **maláli, bɔkɔnɔ**
image, s. **elílíngi**
  (statuette) **ekeko**
imagine, vi. **-kanisa**
imbecile, s. **elémá, ebébé**
imbibe, vt. **-mɛla, -benda mái**
imitate, vt. **-mekola, -yokola**
immediately, adv. **nɔkínɔkí, pwasa, na ntángo mɔ́kɔ́, sásaípi**
immense, adj. **mɔnénɛ míngi**
immerse, vt. **-yína, -jindisa**
immersion, s. **koyína, kojindisa**
immodest, adj. **na nsɔ́ni té**
immoral, adj. **óyo esopí mibéko na bato, pité, ekóbo, na nsɔ́ni**
immorality, s. **kosopa na mibéko, pité, ekóbo, makambo na nsɔ́ni**
impartial, adj. **na kotála elongi té, kokáta sémbó**
impatient, adj. **na motéma mokúsé**
imperfect, adj. **óyo ebɔ́ngí té, ekokí té, esúkí té**
impertinence, s. **lómá**
implore, vt. **-bɔ́ndɛla, -lɔmba**
important, adj. **na ntína mɔnénɛ, na lokúmu**
impostor, s. **mokosi, mojimbisi.2**
impotent, adj. **na nguyá té, óyo akokí kobóta mwána té**
improve, vt./vi. **-bɔ́ngisa, -yâ na motíndo malámu**
impudence, s. **lómá**
impure, adj. **na salíte, na mbíndo**
impurity, s. **salíte, mbíndo**
in, prep. **na, káti na**
incessantly, adv. **kotíka té, kosála sékó**
incite, vt. **-pésa símbisi**
incitement, s. **símbisi**
incline, vt. **-kengisa**
  s. **mwá ngómba**
income, s. **bojui, mbɔ́ngɔ**
inconstant, adj. **mbílíngámbilinga**
increase, vt. **-yéisa míngi, -kólisa, -fulisa, -yíkanisa**
  vi. **-yâ míngi, -yíkana, -fuluka, -kóla**
indecision, s. **mokakatano, kosimbasimba, koténgatenga**
indeed, adv. **na sɔ́lɔ́**
  good indeed **malámu mpenjá**
  (ironical) **wápi!**
indemnity, s. **mbɔ́ndí**
independence, s. (political) **lipanda**

indicate, vt. **-lakisa, -mɔnisa**
indignant, adj. **na nkanda**
  be indignant **-yóka nkanda, -silika**
indignation, s. **nkanda, nkɛlɛ**
indigo, s. **lángi na mpíli**
indolent, adj. **na gɔigɔi**
industry, s. **misálá minénɛ**
industrious, adj. **na mpíko na mosálá**
infamy, s. **yaúlí**
infant, s. **mwána mɔké (pl. bána miké)**
infect, vt. **-juisa maláli, -bɛlisa**
inferior, adj. **na nsé, na nsima**
infirmity, s. **njóto mpási, bɔkɔnɔ, maláli, bɔlɛmbú**
inflame, vt. **-bambola**
inflict, vt. **-yókisa mpási**
influenza, s. **maláli na mɔpɛpɛ**
inform, vt. **-yébisa, -sangela**
infuriate, vt. **-ngalisa**
inhabit, vt. **-fanda na, -jala káti na, -jalela**
inhale, vt. **-benda (mpéma)**
inherit, vt. **-sangola, -túka libula**
inheritance, s. **libula**
  (name) **lisangó**
inject, vt. (medicine) **-pésa ntonga**
  (enema) **-tóngola**
injection, s. (hypodermic) **ntonga**
  (enema) **ntóngo**
injure, vt. **-jokisa, -bébisa**
ink, s. **mái na mokandá, mokóbo**
innocent, adj. **na likambo té**
  be found innocent **-lónga**
  seem innocent **-lambasana**
inquire, vt. **-túna**
insane, adj. **na ligbómá, na ebébé**
insanity, s. **ligbómá, ebébé**
inscribe, vt. **-koma**
inside, adv. **na káti**
insipid, adj. **na ɛlɛngi té**
  become insipid **-sábwa (-sámbwa)**
insolent, adj. **na lómá, na lofúndo**
inspect, vt. **-tála**
inspector, s. **motálaki.2**
instant, adj. **ntángo mɔkémɔké**
instantly, adv. **na ntángo óyo, nɔkínɔkí, sásaípi**
instruct, vt. **-téya, -lakisa**
instruction, s. **litéyo, ndakisa**
instructor, s. **motéyi.2, molakisi.2/4**

123

instrument, s. **esáleli, ɛlɔ́kɔ na mosálá**
  musical instrument: stringed **njɛnjɛ**
  tongued **ekembé (likembé)**
  flute, pipe **polólo**
  accordion **lindanda**
insubordination, s. **nkanja**
insult, vt. **-túka, -fínga, -tiyola (-tiola)**
intact, adj. **mobimba, na mpótá tɛ́**
intelligence, s. **boyébi, mayɛ́lɛ**
intellect, s. **ekaniselo**
intend, vt. **-kána**
intention, s. **mokáno**
inter, vt. **-kunda**
intercede, vi. **-bɔ́ndɛla**
intercessor, s. **mɔbɔ́ndɛli.2**
interior, s. **katikáti, epái na káti**
  (as opposed to city) **jámba**
interment, s. **kokunda**
interpret, vt. **-bóngola maloba, -sɔsɔla ntína**
interrogate, vt. **-túna**
interval, s. (time) **elaká**
intestine, s. **mɔsɔpɔ́.4/10, nsɔpɔ́**
into, prep. **na káti**
intoxicate, vt. **-lángisa**
  be intoxicated **-lánga**
introduce, vt. **-kɔ́tisa káti**
  (people, to one another) **-yébanisa**
invade, vt. **-íngela na etumba**
invalid, s. **mɔbɛli, mɔkɔni**
invert, vt. **-balola, -bongola**
invite, vt. **-bíanga (-bénga)**
iodine, s. **totolióto**
iron, s. (metal) **ebendé**
  (for ironing) **félɔ**
  (shackles) **nkangá**
  vt. **-ngoma**
irritate, vt. **-kósa, -túmola, -tungisa**
island, s. **esanga, yángá**
isolation, s. **molengélí**
it, pron. **yangó**
itch, vi. **-kósa, -sála mokósá**
  s. **mokósá**
ivory, s. **mopaté, mpɛ́mbɛ́ na njɔku**

J

jack, (car) s. **jéki**
jackal, s. **mbulú**
jar, s. **kɔ́pɔ, mbéki**
jaw, s. **lobángá.10**
jealous, adj. **na júa**
jealousy, s. **júa**
jigger, s. **liyanji**
join, vt. **-tónga, -kanganisa, -juanisa, -bakisa**
  vi. **-kangana**
joint, s. **litóngá**
joke, vi. **-sɛkɛna, -sana**
jostle, vt. **-sukuma**
journey, s. **mobémbo, lɔkɛndɔ.10**
  down-stream **motíyo**
  in canoe **molúka**
  up-stream **monano**
  vi. **-támbola**
  down-stream **-tíyola (-tiola)**
joy, s. **ɛsɛngɔ**
judge, s. **mosámbisi.2, juji.2**
  vt. **-sámbisa, -káta likambo**
judgment, s. **ekátelo, ekátélí**
juice, s. **mái**
jump, vi. **-pombwa**
  s. **lipombwa**
just, adj. **na sémbó, na bɔyéngɛbɛnɛ**
  adv. (only) **bɔbélé**
justice, s. **sémbó, bɔyéngɛbɛnɛ**
justify, vt. **-lóngisa**
  justify oneself **-mílóngisa**

K

kapok, s. (wool and tree) **mbukulu**
keel, s. **mɔkɔ́ngɔ́ (na masua)**
keep, s. **-bátela, -simba, -kanga**
kernel, s. (palm-nut) **moliká.10 (ndiká)**
kerosene, s. **pitɔlɔ**
kettle, s. **mbilíka**
key, s. **lofungóla (lifungóla), mwána na lofungóla**
kick, vt. **-béta na lokolo**
kidney, s. **mopíko.10 (mpíko)**
kill, vt. **-boma, -kúfisa**

125

killer, s. **mobomi.2**
kilogram, s. **kiló**
kin, s. **libóta, bibóto**
kind, s. **motíndo, loléngé.10 (ndéngé)**
  adj. **na bobóto, na bolingo**
kindle, vt. **-bambola**
kindling, s. **nkanju**
kindness, s. **bobóto**
king, s. **mokonji.4**
kingdom, s. **bokonji**
kinsman, s. **ebóto.8, ndeko.2**
kiss, vt. **-pwépwa**
  s. **lipwépwa**
kitchen, s. **mafika (lifika), kúku**
knee, s. **libɔngɔ́, libɔ́lɔ́ngɔ́**
kneel, vi. **-kúmba mabɔngɔ́**
knife, s. **mbɛlí (mbɛli)**
knock, vt. **-béta**
  at door **-béta kókókó**
  about **-sukuma**
  over **-kwéisa**
knot, s. (string) **litóngá**
  (in wood) **litingá**
  tie a knot, vt. **-kanga, tónga**
know, vt. **-yéba**
knowledge, s. **boyébi, koyéba, mayέlɛ**
knuckle, s. **libɔ́ngɔ́ na mosapi**
kola, s. (tree and nut) **libelu**

L

labour, s. **mosálá**
  vi. **-sála**
labourer, s. **mosáli.2**
lack, s. **bosenga, bojángi, esengeli**
  vt. **-senga, -jánga**
lad, s. **ɛlɛnge mobáli**
ladder, s. **ebutelo, ngandó, njelápánda**
ladle, s. **lóto mɔnénɛ**
  vt. **-tóka, -popa (pɛpa)**
lake, s. (large) **libeke**
  (small) **etíma**
lamb, s. **mwána na mpaté**
lame, adj. **na kɔténguma**
lame person, s. **mɔténgumi**
lameness, s. **mɔténgu**

lament, vi. **-lela**
  vt. **-leela (-lelela)**
lamp, s. **mwínda (pl. miínda)**
land, s. **mokili, nsé, mabelé**
  vi. **-sɛma**
  (disembark) vi. **-lubwa**
  vt. **-lubola**
landing, s. **esɛmɛlɔ**
language, s. **lokóta.10, mɔnɔkɔ, liloba**
lap, vt. (as dog) **-lɛta**
lard, s. **mafúta na ngulú**
large, adj. **mɔnénɛ.2**
larva, s. **nkiso, nkusú**
lassitude, s. **gɔigɔi, bɔlɛmbú**
last, vi. **-úmela, -yenga, -síla té**
  adj. **na nsúka**
  last Sunday **mɔkɔlɔ na yenga elekí**
late, adj. **na nsima, nsima na elaká**
  the late so-and-so **ebembe na Sóngóló**
  arrive at late **-yâ nsima, -kóma nsima**
lath, s. **fíto (píto)**
laugh, vi. **-sɛka**
  laugh at, vt. **-sɛka**
law, s. **mobéko, elakiseli**
lawless, be, **-tɔmbɔka**
lawsuit, s. **likambo**
lawyer, s. **afóka (avóka)**
lay, vt. (table) **-tanda (mésa)**
  (eggs) **-bóta (makei)**
  (down) **-lálisa, -tíya na nsé**
lazy, adj. **na gɔigɔi**
lead, s. (metal) **mɔndɔlu.10**
  (cord) **nkámba**
  vt. **-kamba, -támbolisa, -yamba**
  (a meeting) **-lobisa**
  (astray) **-pɛngwisa, -pɛngɔla**
leaf, s. **lokásá.10, litíti**
  for thatching **ndɛlɛ, likongó**
  sweet potato **matɛmbéle (pl.)**
  fig (rough) **esesé**
  manioc **mɔpɔndú.10**
  acid taste, **ngaingai**
leak, vi. **-bima, -tanga**
lean, vi. **-kekama**
  lean down **-kúmbama, -kúsana**
lean, adj. (person) **na kɔkɔnda**
  (meat) **na mafúta té**
  (soup) **mái míngi, na kosábwa**
leap, vi. **-pombwa, -fumbuka**
  s. **lipombwa**
learn, vt. **-yekola**

leather, s. **loposo.10 na nyama, ekótó**
leave, vt. **-tíka**
  vi. **-longwa**
  (in disapproval) **-sábola**
leaven, s. **mamá na mápa, mfulu**
leech, s. **mosónjó.10**
left, adj. **na lɔbɔ́kɔ na mwásí**
leg, s. **lokolo.6**
legend, s. **lisapo**
lemon, s. (fruit and tree) **londímo.10**
lend, vt. **-défisa, -bekisa**
length, s. **molaí.2**
lengthen, vt. **-benda molaí**
leniency, s. **mawa, ngɔlu, kolimbisa**
leopard, s. **nkɔi.2/10**
leprosy, s. **mbálá**
lesson, s. **litéyo**
letter, s. **mokandá**
  (type) **elembo**
level, vt. **-sémbola, -sála lambasanu, -sála álima**
  adj. **álima, pátátáló**
levy, vt. (tax) **-kɔ́ngɔla, -tákola**
liana, s. **nkámba**
  rotang **likaukau**
liar, s. **moto na lokutá**
libel, vt. **-sénginya (-séngɛnya)**
liberality, s. **likabo, bobóto**
liberate, vt. **-kangola, -sikola, -kósola**
liberty, s. **bɔnsɔ́mi (bɔsɔ́mi)**
lick, vt. **-lɛta**
lid, s. **ebómbá, ejipo, ejipeli**
lie, s. **lokutá.10**
  vi. **-loba lokutá, -búka lokutá**
  (lie down) **-lála**
  (lie on back) **-kalema**
  (lie across) **-kékama, -kengama**
life, s. **bɔ́mɔí, lobíko**
lift, vt. **-tómbola, -nétɔla**
light, s. (day-) **mói**
  (lamp-) **polé**
  adj. **popolo, bojitó té**
  vt. **-bambola, -pelisa**
lightning, s. **mokalikali, nkáké**
lighter, s. (stick) **fɔfɔlɔ**
like, prep. **lokóla, pelamɔkɔ́, motíndo na**
  vt. **-linga**
likeness, s. **elílíngi, fɔ́tɔ, motíndo**
limb, s. **elembo**
limit, s. **molelo.10 (ndelo)**
  vt. **-súkisa**

128

limp, adj. pɛtɛpɛtɛ, na makási té
  vi. ténguma
lime, s. (tree and fruit) londímo.10
line, s. (queue) mɔlɔngɔ́
  (houses) molóló
  (fishing) nsinga
linger, vi. -úmela, -mɔnga, -jala nsima
lion, s. nkɔ́si, simba
lip, s. ɛbɛbu
listen, vt. -yóka, -yókamela
little, adj. mɔkɛ́
  adv. mwá (mwa), míngi té
  (thing) ɛlɔ́lɔkɔ
live, vi. -bíka, -jala, -fanda
liver, s. libale
lizard, s. mɔsélékété.10
  (monitor) mbambí
load, s. mokúmbá
loan, s. mbéka
lock, s. lofungóla.10
  vt. -funga, -kanga
locust, s. liyoyo, likélélé
lodge, vi. -fanda, -lála
  vt. -fandisa, -pésa...ndáko
  s. nganda, ndáko
log, s. lokóni.10, mɔkɔkɔ.4
loin-cloth, s. lipúta (limpúta), mólinda, lipopela
loneliness, s. molengélí
long, adj. molaí.2
  (of discourse, palaver) mɔndɔndɔ
  long way mosíká, esíí
  long ago kalakala
look, vi. -tála
look at, vt. tála
  look after -bátela, -kéngɛla
  look fixedly -tála píí
  look for (expect) -tálela
  (seek) -luka
  look out -kéba
loom, s. etongeli (na elambá)
loose, adj. na bɔlɛmbú, pɛtɛpɛtɛ, óyo ekangámí té
  vt. -kangola, -fungola
loot, vt. -punja, -nyangana
  s. matéka
lose, vt. -búngisa
  (way) -búngana, -búnga
  vi. (not win) -kita, -kwéya, -lónga té
loss, s. libomí
lost, to be -búngana, -pɛngwa njelá
lot, s. (many) míngi
  (chance) mbɛsɛ
  draw lots -bwáka mbɛsɛ

loud, adj. **na mongóngó makási**
louse, s. **losili.10**
love, vt. **-linga**
  s. **bolingo**
  love potion **mopiáto**
low, adj. **na nsé**
lower, vt. **-kitisa, -sɔkisa**
luck, s. (good) **makilá malámu, libakú malámu**
  (bad) **makilá mabé, libakú mabé**
lunatic, s. **ebébé, moto na ligbómá**
lung, s. **mpulúlu**
lure, vt. **-léngola, -bénda (-benda)**
lust, s. **mpósá mabe**

M

machette, s. **likwángola, mopánga, liséti**
machine, s. **masíni**
madness, s. **elémá, ligbómá, ebébé**
mad, adj. **na ligbómá, na ebébé**
maid, s. **ɛlɛngɛ mwásí, mosungi mwásí na ndáko**
maim, vt. **-jokisa**
maize, s. **lisángó, masángó**
  flower **epunja**
make, vt. **-sála**
male, s. **mobáli.2**
malice, s. **nko, mabé**
mallet, s. **ɛbétéli**
man, s. (male) **mobáli.2**
  (person) **moto.2**
manacle, s. **mɔnyɔ́tɔ (manyɔ́tɔ, ménɔ́tɔ)**
manage, vi. **-koka, -yéba**
  (administer) **-kéngéla, -bátela, -sálisa mosálá**
mange, s. **mpándá**
mango, s. **mángolo, língolo.6**
manioc, s. bread (general) **kwánga**
  round piece **etóka**
  sausage shaped **ɛngwɛlɛ**
  leaf **mɔpɔndú.10, mpɔndú**
  stem **mɔtémbɛ**
  dried root **málɛmbá**
  ground, roasted **mɔ́tɛkɛ**
  raw root, **mpónjó, mokónjó, nsɔ́ngɔ**

manner, s. **motíndo, ejalélí**
  use the -ELI suffix with the verb root:
    manner of cutting **ekátélí**
    manner of speaking **elobélí**
    manner of walking **etámbwélí**
  in this manner **boye**
  in that manner **bôngó**
mantis, s. **eténatɔlu**
manure, s. **nyeí**
many, adj. **míngi**
  how many? **bóní?**
map, s. **mwángo na mokili**
march, s. **mobémbo**
  vi. **-support-támbola**
mark, s. **elembo, nkoma**
  (tribal mark) **njɔlɔkɔ**
  vt. **-koma, tíya elembo**
market, s. **jándo**
  small, local **wénjɛ**
marriage, s. **libála, makwéla, bolóngani, kobálana**
marrow, s. (bone) **lilɔngɔ́**
  (plant) **libɔ́kɛ**
marry, vi. (man) **-bála**
  (of woman) **-bálana**
  (both together) **-bálana, -kwélana**
  vt. **bálisa, -bálanisa, -kwélisa, -kwélanisa**
marsh, s. **lisaka**
mason, s. **motongi.2 (motóngi)**
master, s. **nkóló.2**
mat, s. **litɔkɔ́, mbétó**
match, s. **fɔfɔlɔ, aluméti**
mate, s. (general) **moníngá.2**
  husband **mobáli**
  wife **mwásí**
  vi. **-sibana**
material, s. (cloth) **elambá**
  crossed design **kungúlu**
  blue **mpili**
  bleached **mosulúku**
  calico **molikani**
  patch **mbamba**
  piece **eténi**
matter, s. (affair) **likambo, mpɔ̂**
  (pus) **mayíná**
  what's the matter? **likambo níni?**
mattress, s. **mátelá, lítalá**
mature, vi. **-tela**
me, pron. **ngáí**
  you and me **bísó na yɔ̌**
  him/her and me **bísó na yé**

meal, s. (repast) **elámbo, biléí**
  (flour) s. **mfufú (fufú)**
mean, adj. **na moími**
  vt. **-kána, -jala na ntína**
means, s.pl. **bisáleli, njelá**
  by means of **na njelá na, na lisungí na**
meanwhile, adv. **na ntángo yangó, wâná**
measles, **kongolí**
measure, s. **epímeli, mɛtɛlɔ**
  vt. **-píma**
meat, s. **mosuni, nyama**
medal, s. **sapele, paláta**
mediate, v. **-bɔ́ngisa káti na bato, -juanisa lisusu**
mediator, s. **mɔbɔ́ngisi, mojuanisi**
meditate, vi. **-kanisa, -bánjabanja**
meditation, s. **makanísí, lobánjo**
medicine, s. **nkísi, mɔnɔ́, mónganga**
medium, adj. **na katikáti**
  he is of medium height **ajalí molaí té tó mokúsé té,**
                                               bɔbélé katikáti
meek, adj. **na motéma mpíɔ**
meet, vi. (assemble) **-yángana, -tákana**
  (on road) **-kutana, -juana**
  vt. **-jua, -kuta**
meeting, s. **koyángana, eyánganeli**
  (political) **lɛnyɔ́, mitingi**
melon, s. **libɔ́kɛ na ɛlengi**
melt, vt. **-langola, -nangola**
  vi. **-langwa, -nangwa**
member, s. (society) **moto na...**
  (body) **elembo**
memorial, s. **ekaniseli**
memory, s. **kokanisa**
  in memory of him **mpɔ́ na kokanisa ye**
menace, vt. **-sisa, -kánela**
mend, vt. **-bɔ́ngisa, -bamba**
  s. **mbamba**
mercy, s. **mawa, ngɔlu**
merit, vt. **-bɔ́nga na**
message, s. **nsango, mɔnɔkɔ, liloba**
messenger, s. **ntómá.2, ekímá**
messiah, s. **masíya**
metal, s. (iron) **ebendé**
  (copper, brass) **motáko**
  (silver) **paláta**
  (gold) **wɔ́lɔ, mpaóni**
  (lead) **mɔndɔlu**
method, s. **motíndo, mwángo, njelá na mosálá, esálélí**
midday, s. **midí, njánga**
middle, s. **katikáti**
midnight, s. **midí na butú**

midwife, s. **mobótisi.2**

might, s. **nguyá, makási**

mildew, s. **mbombó**

milk, s. **mabélɛ**
  vt. **-kámola mabélɛ**

million, s./adj. **nkóto nkóto**

millipede, s. **ngongolí (kongolí)**

mimic, vt. **-yókola, -yékola**

mind, s. **molímó, motéma, ekaniselo**
  vt. **-bátela, sénjɛla**
  vi. **-mísénjɛla, -kéba**
  never mind! **likambo té!**

mineral, s. (iron) **makéle**

miracle, s. **ekamwiseli, mosálá na kokamwa**

mirror, s. **talatála**

mischief, s. **bisálásálá, makambo na kílíkili**

miser, s. **moími.2 (moyími)**

miserable, adj. **na motéma bojitó, na mawa**

misery, s. **mpási na motéma, bɔlɔjí**

misfortune, s. **makilá mabé**

mislead, vt. **-búngisa, -jimbisa**

miss, vt. **-búnga, -mɔna té**
  (arrow, gunshot) **-jua té, -béta mpámba**

mission, s. **etínda, lotómo.10**

missionary, s. **motéyi.2 (motéi)**

mist, s. **londendé.10**

mistake, s. **libúngá**
  vt. **-búnga, -sála libúngá**

mistrust, vt. **-bétɛla...ntembé, -tíyela...ntembé**
  s. **ntembé, kojánga kondima**

misunderstanding, s. **likaka, koyókana té**

mix, vt. **-sanganisa, -kulumba**
  vi. **-sangana**
  (mistake) **-bulunganisa**

mixture, s. **lisangá**

moan, vi. **-kímela, -lela**

mob, **nkáká na bato, ebelé na mobulu**

mock, vt. **-sɛka, -túka**

model, s. **emekelo**

moderate, vt. **-lɛmbisa, -kitisa**

molest, vt. **-túmola**

Monday, s. **mɔkɔlɔ na mosálá mɔ́kɔ́, mɔkɔlɔ na libosó**

money, s. **mɔsɔlɔ, mbɔ́ngɔ**
  coins, **bibendé**
  colonial money: 5ct. **sɛngi**
  10ct. **ndísi, likuta**
  50ct. **lɔmɛya.10, (mɛya)**
  1F. **lofalánga (lofalánka).10**
  5F. **lopata.10**

monitor, s. (teacher) **molakisi.2**
  (lizard) **mbambí**

133

monkey, s. (general) **nkéma, makáko**
  chimpanzee **mokombóso**
  black baboon **lingámbó**
month, s. **sánjá**
moon, s. **sánjá**
mop, s. **esukoli**
  vt. **-sukola**
moor, vt. **-sémisa**
more, adj. **mosúsu**
morning, s. **ntɔ́ngɔ́**
mortal, adj. **na liwá, na kúfa**
mortar, s. (for pounding) **eboka**
  (for building) **pɔtɔpɔ́tɔ**
mosquito, s. **mongúngú.2/4/10**
  mosquito net **mɔsikitɛlɛ**
moth, s. **lopómbóli.10 (mpómbóli)**
mother, s. **mamá.2, nyangó.2**
mother-in-law **bokiló**
motor-car, s. **mótuka, fwatíli**
mould, vt. **-yema (-yéma)**
  s. (mildew) **mbombó**
  go mouldy **-béba mbombó**
mound, s. **libóndo**
mount, vt. **-butisa**
  vi. **-buta**
mountain, s. **ngómba, nkéka**
mourn, vi./vt. **-lela, -leela (-lelela), -yóka mawa**
mourning, s. **kolela ebembé, matángá**
  mourning clothes **mpili**
mouse, s. **mpó, mpóko**
moustache, s. **mojómbé**
mouth, s. **mɔnɔkɔ**
move, vi. **-támbola**
  budge **-fuka**
  move away, vi. **-longwa**
  vt. **-longola**
  move about, vi. **-támbola, -ningana**
  vt. **-támbolisa, -ninganisa**
  move along **-púsa**
mow, vt. **-káta (matíti)**
much, adj./adv. **míngi, bɛ**
  how much? **bóní? motúya bóní?**
mucus (nasal) **moyóyó**
mud, s. **pɔtɔpɔ́tɔ**
muddled, adj. **na mobulu**
  to be muddled **-bulungana**
mule, s. **mpúnda.2**
multiply, vt. **-fulisa**
munch, vt. **-tamunya (-nyamuta)**
murder, vt. **-boma (moto)**
murmur, vi. **-imaima**

134

muscle, s. **mosisa**
mushroom, s. **likombó, liyɛbu**
music, s. **misíki, njémbo**
  musical instruments: stringed **njɛnjɛ**
  tongued **ekembé (likembé)**
  pipes **polólo**
  trumpet, horn **mondúle**
mussel, s. **nkɔ́lɔ́**
must, v. **-koka, -bɔ́nga**
  I must go **ekokí na ngáí kɔkɛnda**
mute, adj. **na mongóngó té**
  s. **emimi**
mutter, vi. **-imaima**
muzzle, s. **jólo (na nyama)**
  vt. **-kanga mɔnɔkɔ**
mystery, s. **likambo liyébání ntína té, mokakatano**

N

nail, s. (body) **lonjáká.10 (linjáka), lɔnjɔngɔlɔngɔ.10**
  (carpentry) **lɔsétɛ.10 (nsétɛ)**
  vt. **-kanga na nsétɛ**
naked, adj. **bolúmbú, motaká**
name, s. **nkómbó**
  vt. **-pésa nkómbó, -tánga nkómbó, -bíanga**
namesake, s. **ndói**
napkin, s. **elambá, litambála**
narrate, vt. **-soola, -tɔndɔla**
narration, s. **lisese, nsango, lisapo**
narrowness, s. **nkáká**
nasty, adj. **mabé, na bɔsɔtɔ**
native, adj. **na mokili yangó mpénja**
  s. **moto na mokili, nsómi.2**
  (pejorative word used arrogantly by foreigners:
                                mɔsénji.2)
nation, s. **libóta, ekólo mɔnénɛ**
nature, s. **1. bilɔ́kɔ yɔ́nsɔ bijalísámí**
  2. motíndo, ejalélí
nausea, s. **mpósá na kosánja**
navel, s. **litɔlú**
near, adj./adv. **pɛnɛpɛnɛ**
  come near **-bɛlɛma**
  bring near **-bɛlɛmisa**
nearby, adv. **pɛmbéni**
nearly, adv. **pɛnɛpɛnɛ**
  he is nearly dead **etíkálí mɔkɛ́ éte ákúfa**
  it is nearly over **elingí kosíla**

neat, adj. **sémbésémbé**

necessary, adj. **na bosenga**
  it is necessary for him to go **ekokí na yé éte ákɛnda**

necessity, s. **bosenga**

neck, s. **nkíngó**

necklace, s. **mɔnyɔlɔ́lɔ na nkíngó, mayaka**

neck ornament (metal) **mɔngɔmbɔ́**

need, s. **bosenga, kosenga**
  vt. **-senga, -janga**

needle, s. **ntonga**

neglect, vt. **-bátela té, -tíka...kobéba**

negro, s. **moíndo.2**

neighbour, s. **mojalani.2**

nephew, s. **mwána mobáli na ndeko mobáli tó**
                ndeko mwásí

nerve, s. **mosisa, mole (pl. miole)**

nest, s. **júmbu**

net, s. **molubá**
  (hunting) **monyámá, monjánjá**

never, adv. **sɔ́kɔ́ mɔké tɛ́, libélá té**

new, adj. **na sika, na sásaípi**

news, s.pl. **nsango**
  tell news **-sangela, -tɔndɔla**

newspaper, s. **julunálo**

next, adv./adj. **na nsima**
  next day **mɔkɔlɔ na nsima**

nib (pen) s. **lonjáká.10**

nice, adj. **kitɔ́kɔ, malámu**

niece, s. **mwána mwásí na ndeko mobáli tó na**
                ndeko mwási

night, s. **butú**
  work all night **-sála butúbutú**

nil, s. **ɛlɔ́kɔ té**

nine, adj. **libwá**

ninety, adj. **ntúkú libwá**

nip, vt. **-fínya**

no, adv. **té**
  (in reply to a negative question: **ɛɛ**)
  no (adj.) **mɔ́kɔ́ té**
  nobody **na moto té**

noise, s. **makɛlélɛ**

none, pron. **mɔ́kɔ́ té**

nonsense, s. **bilobaloba**

noon, s. **midí, njánga**

noose, s. **mɔtékɔ**

nose, s. **jólo**

note, s. **mokandá, likomí**
  vt. (to write) **-koma**
  (remark) **-mɔ́na, -sɔsɔla**

nothing, pron. **ɛlɔ́kɔ té**

notice, vt. -mɔ́na, -yóka
  s. likomí, nsango
notion, s. likanísí, lobánjo
nourish, vt. -léisa, -bɔ́kɔla, -núngisa
now, adv. sásaípi, sikáwa, sikóyo
nowadays, adv. na mikɔlɔ óyo
nudity, s. bolúmbú, motaká
number, s. motúya, limɛlɔ
  vt. -tánga motúya
numerous, adj. mwá míngi
  become numerous -fuluka
nurse, s. mosálisi na babɛli, mónganga
  child nurse mobáteli na mwána, ndɛlí
  vt. -sálisa (babɛli)
  (child) -bátela (mwána)
nut, s. (palm) mbíla
  (palm-kernel) moliká.10 (ndiká)
  peanut mongúbá.10 (ngúbá), lokalánga.10
  kola nut libɛlu, likasu

O

oar, s. nkáí
oath, s. ndáí, sɛlɛká
  take an oath -káta ndáí, -simba ndáí
obedience, s. botósi, kotósa
obey, vt. -tósa
object, s. elɔ́kɔ
object, vt. -kɔtɔla, -boya
objection, s. likɔtɔ́lí
oblige, vt. (help) -sunga, -sepelisa
  (enforce) -pɛsa...lotómo
  I am obliged to leave. Bapúsí ngáí éte nálongwa.
obliging, adj. na lisungí, na bobóto
oblique, adj. na mɔsɛlé
obliqueness, s. mɔsɛlé
obscene, adj. na bɔsɔtɔ, na nsɔ́ni
obscure, adj. na mólíli, mɔndɔndɔ
  vt. -tíya mólíli, -kanga njelá
obstacle, s. libakú, nkáká, jéka
obstinacy, s. mpokotói
obstinate, adj. na mpokotói
obstruction, s. jéka, nkáká
obtain, vt. -jua, -kwâ
obvious, adj. óyo ɛmɔ́nání polélé
ocean, s. mái mɔnɛ́nɛ, mái na mongwa, mái na monana
ochre, s. ngola (na kopakola)

occur, vi. **-kóma, -jala**
of, prep. **na**
offence, s. **libúngá, likambo na nko, ekwéli**
offend, vt. **-yókisa mabé**
offer, vt. **-pésa, -linga kokaba**
offering, s. **likabo**
office, s. (building) **biló**
   (function) **mosálá**
official, s. **mosáleli.2, moto na letá**
   adj. **na letá**
offspring, s. **libóta**
often, adv. **mbala míngi**
   (use the habitual suffix -AK-: he often says
                                    akolobaka, alobaka)
oh, interj. **έ**
oil, s. **mafúta**
   palm oil **mwámba**
   refined oil **kambíli**
ointment, s. **nkísi na kopakola**
old, adj. **na kalakala, na bilanga míngi, óyo eúmélí**
   old person **mobangé.2, mpaka.2**
   how old is he? **akómí bilanga bóní?**
                                    (akómi mbúla boni?)
   to grow old **-nuna**
omit, vt. **-bósana, -tíka**
on, prep. **na, likoló na**
once, adj. **mbala mɔ́kɔ́**
   (formerly) **libosó, na kala**
one, adj. **mɔ́kɔ́ (mɔ̌kɔ́)**
onion, s. **litungúlu, (litungúnu)**
only, adv. **bɔbélé, mpenjá**
   only child **mwána na likindá**
ooze, vi. **-tanga**
open, adj. **polélé**
   vt. **-jipola, -fungola**
   be open **-jipwa, fungwa**
opening, s. **mɔnɔkɔ, njelá, lilusú**
operate, vt. (surgery) **-pasola**
   (machine) **-támbolisa, -sálisa**
opinion, s. **likanísí, lobánjo**
opportunity, s. **eposá**
oppose, vt. **-témɛla, -kotola**
   opposite side **ngámbo**
   (games, war) **batémɛli**
opposition, s. **kɔtémɛla, batémeli**
oppress, vt. **-nyɔ́kɔla**
opt, vt. **-pɔna**
or, conj. **sɔ́kɔ́, tó (to)**
   either...or **sɔ́kɔ́...sɔ́kɔ́, tó...tó**
orange, s. **lilála**
ordain, vt. **-bulisa**

ordeal, s. **likámbá**
  administer the ordeal **-mɛlisa mbondó**
order, s. (command) **elaká, mɔnɔkɔ**
  (tidiness) **sémbésémbɛ́, sémbó, mpɛ́tɔ́, koninola**
  vt. **-laka, -pésa mɔnɔkɔ**
  (buy) **-bíanga**
organize, vt. **-bɔ́ngisa, -támbolisa**
origin, s. **eútelo, ebandelo**
  (place of birth) **mbóka**
ornament, s. **kitɔ́kɔ, ɛlɔ́kɔ na nkɛ́mbɔ**
orphan, s. **etíké.8**
oscillate, vi. **-ningana**
ostentation, s. **lipombó, ngambó**
ostrich, s. **maligbanga**
other, adj. **mosúsu**
  pron. **mosúsu.2 (bamosúsu)**
otherwise, adv. **sɔ́kɔ́ bôngó tɛ́**
otter, s. **njondo**
our, adj. **na bísó**
out, adv. **libándá**
  come out **-bima**
  go out **-longwa, -bima**
oven, s. **litumbo**
over, prep. **na likoló na**
overcoat, s. **mokóto**
overcome, vt. **-leka, -buka, -lónga**
overflow, vi. **-leka, -sopana**
overlook, vt. **1. -tálana na**
             2. -tíka, -búnga
overthrow, vt. **-buka, -leka**
overturn, vt. **-balola (-baola)**
overwhelm, vt. **-leka, -bulunganisa**
owe, vt. (debt) **-jala na nyongo**
owl, s. **esúlungútu**
own, adj. **na moto yé mɔ́kɔ́**
  my own book **mokandá na ngáí mɔ́kɔ́**
  vt. (possess) **-jala nkóló na**
owner, s. **nkóló.2**
ox, s. **ngɔ́mbɛ**
oyster, s. **lokelé.10**

P

pacify, vt. **-tilimisa, -kitisa motéma na, -yéisa kímyá**
pack, vt. **-kanga**
package, s. **ebólo, libóke, libimba (ebimba)**
pact, s. **endimaneli, kondimana, lingeléma**
pad, s. (for head) **nkáta**

paddle, s. **nkáí**
  vt. **-lúka (nkáí)**
paddler, s. **molúki.2**
paddle-steamer, s. **pakapáka**
padlock, s. **fungóla, lofungóla, mamá na lofungóla**
pagan, s. **mopakano.2**
page, s. **lokásá, litíti**
pail, s. **kantíni**
pain, s. **mpási, bɔlɔ́jí, bwále**
paint, s. **lángi, mokóbo**
  vt. **-pakola, -tíya mokóbo, -bisa**
painting, s. (art) **elílíngi**
palaver, s. **likambo**
pale, adj. **mpémbé**
palisade, s. **lopango**
palm, s. tree (oil) **libíla**
  frond **mángo**
  kernel **moliká.10 (ndiká)**
  nut, **mbíla**
  oil **mafúta, mwámba, kambíli**
  raffia **lipeke**
  wine (beer) **masanga**
  Borassus-palm **lilebo**
  false-bamboo palm **lipásá**
  wine-palm **nsɛsɛ́**
  thatching-palm **ndɛlɛ**
palm, s. (of hand) **tándú.6**
palsy, s. **maláli na kotetema**
pant, vi. **-pémana**
paper, s. **mokandá, lokásá.10**
  glass-paper **esese**
papyrus, s. **litóló**
parable, s. **lisese**
parade, s. **lifili**
paraffin, s. **pitɔlɔ**
paralysis, s. **kokátatala**
  become paralysed **-kátatala**
  have a paralysed arm **-kátatala lɔbɔ́kɔ**
  paralysed person **mokátatali.2**
parasol, s. **lɔngɛmbú, mombúli**
parcel, s. **libóke, ebimba**
parch, vt. **-kaokisa**
pardon, vt. **-límbisa**
  s. **kolímbisa, kolímbisama**
pare, vt. **-palola, -longola loposo**
parent, s. **mobóti.2, libóta**
parrot, s. **nkoso, nsáko**
part, s. **ndámbo, eténi, likabo**
  vt. **-tangola, -kabola**
  vi. (leave) **-tíkana**
party, s. **ebólo, eyánganelo**

pass, vi. **-leka**
  vt. **-lekisa, -kátisa**
  (do without) **-kila**
  (time) **-lekisa (ntángo)**
passage, s. **njelá, elekelo**
passenger, s. **motámboli.2, pasase**
passion, s. (anger) **nkanda, nkɛlɛ**
  (suffering) **bɔlɔjí**
passive, adj. **na motéma mpíɔ**
past, adj. **óyo elekí, na kala**
patch, s. **mbamba**
  vt. **-bamba**
path, s. **njelá mɔké**
pattern, s. **emekelo**
patience, s. **motéma molaí, motéma pɛtɛɛ (pɔtɔɔ)**
patient, adj. **na motéma molaí**
pause, vi. **péma**
  s. **epémelo**
paw, s. **likáká, lɔbɔ́kɔ.6**
paw-paw, s. **paipai**
pawn, s. **ndanga**
pay, vt. **-fúta, -pésa mbɔ́ngɔ**
  s. **lifútí, mbɔ́ngɔ**
peace, s. **kímíá (kímyá)**
  (pact) **mokóngo**
peak, s. **nsɔ́ngé**
peal, vi. (thunder) **-nguluma**
peanut, s. **mongúbá.10 (ngúbá), lokalánga.10**
pearl, s. **liyaka**
  (small) **mbɔ́ngi**
peasant, s. **moto na jámba**
pebble, s. **libángá mɔké**
peel, s. **loposo.10**
  vt. **-papola, -longola loposo**
pelt, s. (skin) **ekótó**
pen, s. **ekomeli, lonjáká (linjáká)**
pencil, s. **kíliyɔ**
penetrate, vt. **-kɔ́ta, -íngela**
penis, s. **nsoka**
penknife, s. **mbɛlí mɔké**
people, s. **bato**
pepper, s. **pilipíli, mambénga**
perceive, vt. **-sɔsɔla, mɔ́na**
perch, s. (fish) **mbɛnga**
perch, vi. **-kákema, -télɛma**
  s. (birds) **ekákemelo, ɛtémɛlɔ**
perfect, adj. **malámu bɛɛ**
  become perfect **-bɔ́nga, -koka**
perforate, vt. **-tɔbɔla, -túba**
perforation, s. **njelá, litúbo**
perform, vt. **-sála**

141

perfume, s. **malási, nsolo kitɔkɔ**
perhaps, adv. **sɔkɔ**
peril, s. **likámba**
period, s. **elaká.8/10, ntángo**
permanent, adj. **na sékó, na libélá**
permit, vt. **-pésa njelá, -lingisa**
perplex, vt. **-kakatanisa**
perplexity, s. **mokakatano**
persecute, vt. **-nyɔkɔla**
persecution, s. **mɔnyɔkɔ, minyɔkɔ**
perseverance, s. **etíngyá (etíngíá)**
persevere, vi. **-lendendala**
persistence, s. **moléndé, mpíko, koúmela, kotíka té**
person, s. **moto.2**
perspire, vi. **-toka, -bimisa milunge**
perspiration, s. **milunge, mitoki**
persuade, vt. **-ndimisa**
pervert, s. **-bébisa**
pestle, s. **motúté**
photograph, s. **fɔtɔ, elílíngi**
pick, vt. **-búka**
   (ripe fruit) **-nɔkɔla**
   (unripe fruit) **-yimba**
   (choose) **-pɔna**
pickaxe, s. **motalímbo**
pie, s. **mokáte**
piece, s. **ndámbo, eténi**
   (cloth) **ebólo**
pierce, vt. **-tɔbɔla, -túba**
   be pierced **-tɔbɔna (-tɔbwana)**
pig, s. **ngulú, ngulúbe**
pigeon, s. **ebengá**
pigmy, s. **motwá.2**
pile, s. **libóndo**
pill, s. **mbuma, nkísi**
pillage, vt. **-punja, -nyangana**
pillar, s. **likonji**
pillow, s. **ekómba**
pin, s. **pɛngɛlɛ**
   (hairpin) **motonga**
pincers, s. **lingáto, efínyeli**
pinch, vt. **-fínya**
pineapple, s. **ananási (linanási).6**
pink, adj. **motáné**
pip, s. **mbuma, mombóto.10**
pipe, s. (tobacco) **liseké**
   (tube) **mongéndu**
pit, s. **libulú**
   (drainage) **mwanda**
pitcher, s. **monyongo, mbéki**
pith, s. **lilɔngɔ**

pity, s. **mawa**
  vt. **-yókela...mawa**
place, s. **esíká, epái**
  vt. **-tíya**
  take place **-jala, -sálama**
plain, s. **lisóbé (esóbé)**
  adj. 1. **na nkémbɔ té**
      2. **polélé**
plan, s. **mwángo**
  vt. **-yánga mwángo**
plane, s. **likɔ́mbɔ, lábo**
  vt. **-palola, -kɔ́mba**
plank, s. **libáyá**
plant, s. **nkóna, litíti**
  (vegetable) **ndúnda**
  vt. **-kóna, -lóna**
plantain, s. **likémba, likɔndɔ**
  ripe **ntelá**
plaster, vt. **-pakola, -lɛ́mɔla**
  s. **pɔtɔpɔ́tɔ**
  (for wound) **bande**
plate, s. **saáni**
play, vi. **-sana, -sakana**
  vt. (instrument) **-béta**
plead, vi. (for) **-lobela, -bɔ́ndɛlɛla, -lɔmba**
pleasant, adj. **mɔnjɛlɛ, na nsai**
please, vt. **-sepelisa**
  be pleased **-sepela, -yóka ɛsɛngɔ**
pleat, vt. **-súsa**
pledge, s. **ndanga**
plenty, s. **míngi, kotóndana, koyíkana**
pliers, s.pl. **lingátó, esimbeli**
plot, s. (ground) **ndámbo na mabelé**
  (plan) **mwángo**
  vi. **-yánga mwángo**
pluck, s. **mpíko**
  vt. (fruit) **-búka**
plug, vt. **-kanga njelá, -bamba**
plumage, s. **nsálá**
pneumonia, s. **maláli na mpanjé**
pocket, s. **líbenga**
point, s. **nsɔ́ngé, nsúka**
  make pointed **-sɔ́ngɛla**
  pointed, adj. **na nsɔ́ngé, na mɔpɔtú**
  be on the point of doing **-linga kosála**
poison, s. **mbondó**
  snake venom **ngɛngɛ**
poke, vt. (fire) **-pelisa**
pole, s. **njeté**
  sounding pole **mpɔndɔ**
policeman, s. **polísi.2, mopolísi.2**

policy, s. **mwángo, elíkyá**

polish, vt. **-pangusa, -tánisa, -pelisa**

polygamy, s. **kobála mwásí na míbalé tó mosúsu**

polygamist, s. **mobáli na básí míbalé tó koleka**

pond, s. **etíma**

poor, adj. **na bobóla, na kosenga, na malámu tɛ́**
 poor person **mobóla.2**

porcelain, s. **mbɛ́lɛ́ kitɔ́kɔ**

porcupine, s. **ngombá**

possess, vt. **-jala mokóló na..., -jua**

possessions, s.pl. **bojui, misɔlɔ**

post, s. (wood) **njeté epikámí na mabelé, likonji**
 (office) **bilÓ**
 (occupation) **mosálá**

pot, s. **mbéki**
 water-pot **monyongo**
 water-cooler **lilokó (elokó), móngólo**
 tea-pot **mbilíka**

potato, s. **mbálá, libɛngé**
 sweet potato **libɛngé**
 sweet potato leaves **matɛmbɛ́lɛ**

pounce, vi. **-kwéla...pwasa**

pound, vt. **-túta**

pour, vt. **-ángola**
 pour out **-sopa**

poverty, s. **bobóla**

powder, s. **mputúlu**
 gunpowder **balúti**

power, s. **nguyá, makási, bokonji**

praise, vt. **-síma, -sanjola, -kúmisa**
 s. **lisímí, lisanjólí**

pray, vi. **-bóndɛla, -lɔmba**

prayer, s. **libɔ́ndélí**

preach, vi. **-sakola, -téya**

precept, s. **elakiseli**

precious, adj. **na motúya mɔnénɛ**

predict, vt. **-sakola libosó, -yébisa makambo**
 makoyâ nsima

prefer, vt. **-pɔna, -linga...koleka**

pregnancy, s. **libumu, jémi**
 become pregnant **-jua jémi**

prepare, vt. **-bóngisa**
 be prepared **-sélingwa**

prepuce, s. **ngénga**

present, s. (gift) **likabo**
 gift from successful person to others **longónya**
 (time) **sásaípi, mikɔlɔ óyo, sika**
 vt. **-pésa, -mɔ́nisa, -juanisa**

preserve, vt. **-bátela, -bómba**

preside, vt. (meeting) **-lobisa, -támbolisa**
 (court) **-sámbisa**

press, vt. -nyɛta, -kamola
  s. ɛnyɛtɛlɔ, ekamelo
  (of people) nkáká
pretend, vi. -kosa
pretext, s. mokalo
pretty, adj. bonjéngá, mɔnjɛlɛ
prevail, vi. -lónga, -leka
prevent, vt. -pekisa, -simbisa
previous, adj. na libosó
price, s. motúya, ntálo
prick, s. liswí, litúbo
  (injection) ntonga
  vt. -swâ (-súa)
pride, s. ngambó, njómbó, lipombó, loléndɔ́
priest, s. nganga
  (R.C.) mópe
prison, s. bɔlɔ́kɔ, ekangelo
prisoner, s. mokangami.2
privation, s. bosenga, kojánga
problem, s. likambo na ndóngó
proclaim, vt. -sakola, -yébisa
procreate, vi. -bóta
produce, vt. -sála, -bimisa, -mɔ́nisa
profit, s. litómbá
prohibit, vt. -pekisa
prohibition, s. mobéko, kopekisa
project, s. mwángo
  vt. (throw) -bwáka
promise, s. elaká.8/10
  vt. -tíya elaká, -laka
prompt, adj. mbángo, nɔkínɔkí
pronounce, vt. -loba
  vi. -káta likambo
prop, s. esúkeli, likonji
  vt. -súka
proper, adj. -óyo ɛbɔ́ngí, ekokí
prophecy, s. litéyo, kotéya
prophesy, vt. -sakola
prophet, s. mosakoli.2
propitiation, s. mbɔ́ndi
prosecute, vt. -kamba na mosámbisi, -funda
prosperous, adj. na bojui, na misɔlɔ, na makilá malámu
prostitute, s. mwásí na pité, mwásí na misíki
prostitution, s. ekóbo, pité
protect, vt. -bátela, -wéla
proud, adj. na ngambó, na lipombó, na bɔléndɔ́
prove, vt. -limbola, -sɔsɔlisa sémbó na, -meka
proverb, s. lisese, lisapo
provisions, s.pl. biléí
provoke, vt. -túmola, pésa símbisi, -lamukisa nkanda
prow, s. libosó na bwáto, mbaka

145

prudent, s. **na mayέlε, na kokéba**
  be prudent **-sála ángεlε**
prune, vt. **-káta bitápe na njeté**
puberty, s. **ntángo mwána akómí εlεngε**
publish, vt. **-palanganisa (nsango), -sakola, -bimisa**
                                                    mokandá
pull, vt. **-bénda (-benda)**
  pull hard **-bénda makási, -bénda ndíndíndí**
  pull out of ground **-bikola (-pikola)**
pulley, s. **jéki**
pulp, s. **pɔtɔpɔtɔ**
pump, s. **pompi, etókelo na mái**
pumpkin, s. **libɔkε**
punch, vt. **-béta εbɔtu**
punish, vt. **-kámbisa, -pésa etúmbu, -túmbola**
punishment, s. **etúmbu, likámbá**
purchase, vt. **-sómba**
pure, adj. **mpέtɔ́**
purge, vt. **-sumbisa (nyeí)**
purify, vt. **-pέtɔla**
purity, s. **mpέtɔ́, bɔpétwi**
purpose, s. **mwángo, elíkyá, mokáno**
  on purpose **na nko**
pus, s. **mayíná (maíná)**
push, s. **-púsa, -tínda, -tíndika, -sukuma**
put, vt. **-tíya**
  put across **-kengisa**
  put back **-jongisa**
  put in **-kɔ́tisa**
  put in order **-bɔ́ngisa, -sémbola**
  put on clothes **-láta**
  put on one side **-bómba**
  put outside **-bimisa**
putrefy, vi. **-pɔla**
puzzling, adj. **na mikakatano**
pygmy, s. **motwá.2**
python, s. **nguma**

Q

quake, vi. **-tetema (-tεtεma), -lénga**
quarrel, vi. **-wélana, -swána**
  s. **kowélana, koswána**
quarter, s. (fraction) **ndámbo na mínei**
  area **esíká**
queen, s. **mokonji mwásí**

quench, vt. (fire) -jimisa
  (thirst) -sílisa
question, s. etúneli, motúna
  vt. -túna
quick, adj. na mbángo, nɔkí
quiet, adj. nyɛ, na nyɛ
  be quiet -jala nyɛ, -tilima, -kanga mɔnɔkɔ
quieten, vt. -tilimisa, -jalisa nyɛ
quietness, s. kímyá (kímíá)
quinine, s. kiníni

R

race, s. (competition) komekana
  (people) libóta, ekólo
  vi. -mekana mbángo
radiant, adj. lángilángi
raffia, s. mpeko, lipeke
rafter, s. libásá, mɔtɔ́ndɔ́
rag, s. elambá, ɛpɔtú, limbusú
rage, s. nkɛlɛ, nkanda
  vi. -ngala
rain, s. mbúla
  vi. -nóka
  it's raining mbúla enókí
  drizzle -myáka
rainbow, s. monama (monyama)
raise, vt. (lift) -butisa, -nétɔla, -tómbola
  (plants, animals) -bɔkɔla, -kólisa
rake, s. nkanya
  vt. -nyaka
ram, s. mpaté mobáli
rancour, s. júa
rapid, adj. na mbángo
  s. (waterfall) bwéta, mabángá
rascal, s. mojimbisi.2, moto mabé
rat, s. panya (mpanya), mpó
  forest rat motómba
rather, adv. (somewhat) mwá
  (prefer) -linga
  I would rather go than stay. Nalingí kɔkɛnda,
                                 kotíkala té.
  interj. na sɔ́lɔ́!
ration, s. pɔ́sɔ, likabo
rattle, s. lisángá
raw, adj. mobesu
ray, s. (sun) móí, polé
razor, s. lɔtɛbú.10, ekili

reach, vt. **-kóma na**
read, vt. **-tánga**
ready, adj. **óyo aselíngwí, ɛbɔ́ngí**
  be ready **-selingwa**
  (of food) **-béla**
real, adj. **na sɔ́lɔ́**
ream (paper) **ebólo na nkásá 500**
reap, vt. **-búka, -yánganisa**
rear, s. **na nsima**
  (house) **matutu**
reason **ntína**
reassure, vt. **-léndisa**
rebel, s. **mɔtɔmbɔki.2**
  vi. **-tɔmbɔka**
rebellion, s. **kɔtɔmbɔka**
rebuke, vt. **-pámela**
  s. **mpámela**
recall, vt. **-butwisa**
  (remember) **-kanisela**
receive, vt. **-yamba, -jua, -kwâ**
recent, adj. **na mikɔlɔ óyo, na sika, na kala té**
reckon, vt. **-tánga**
recognise, vt. **-sɔsɔla, -yéba**
recognition, s. **lisɔsɔ́lí**
  (honour) **lokúmu**
reconcile, vt. **-bɔ́ndisa, -jongisa na bondeko, -ndimanisa**
reconciliation, s. **mbɔ́ndi, kojongisa na bondeko**
reconnaissance, s. (military) **kɔnɔnga, koluka bayini**
recount, vt. **-soola, -loba, -sangela**
rectitude, s. **bosémbó, sɔ́lɔ́, bɔyéngébéné**
red, s. **motáné, lángi na makilá**
redeem, vt. **-sikola, -kósola**
redeemer, s. **mosikoli, mokósoli.2**
redemption, s. **lisiko, likóswa**
reduce, vt. **-kitisa, -yéisa mɔké**
reed, s. **mongéndu, mokékélé.10**
refectory, s. **elíyelo, ndáko na kolíya**
refuge, s. **ebómbelo**
  take refuge **-míbómba**
refugee, s. **mokími.2**
refuse, vt. **-bóya, -pima**
  s. **matíti, bɔsɔtɔ, nyeí**
region, s. **ndámbo na mokili**
  what region? **mái nini?**
regret, vt. **-yóka mawa mpɔ́ na...**
regulate, vt. **-bɔ́ngisa, -támbolisa**
regulation, s. **mobéko, elakiseli**
reign, vt. **-jala mokonji**
  s. **bokonji**
reject, vt. **-bóya, -bwáka**

rejoice, vi. -sepela, -yóka ɛsɛngɔ
  vt. -sepelisa
rekindle, vt. -pelisa (lisusú)
relate, vt. -sangela, -yébisa, -soola, -tɔ́ndɔla
relationship, s. boyókani, kondimana, ekanganeli
relative, s. ndeko, ebóto, moto na libóta
relax, vi. -péma
release, vt. -kangola, -tíka, -limbisa
relieve, vt. -bɔ́nda, -bɔ́ndisa
  (pain) -tilimisa mpasi
remain, vi. -tíkala
remainder, s. litíka
remedy, s. mɔnɔ́, nkísi, mónganga
remember, vt. -kanisa, -kundola motéma
remission, s. kolímbisa, kotíkela
remote, adj. na mosíká, esíí
remove, vt. -longola, -tangola
  (extract) -bimisa
  vi. (go away) -tangwa, -longwa
rend, vt. -pasola
renounce, vt. -boya, -kila, -angana
renown, s. lokúmu
rent, vt. (house) -fúta ndáko
  s. lifútí mpɔ̌ na ndáko
repair, vt. -bamba, bɔ́ngisa
  s. mbamba
repeat, vt. -loba lisúsu, -sála lisúsu
repent, vi. -mísɛma, -bóngola motéma
repentance, s. kobóngola motéma
replace, vt. -jóngisa, -sɛnja
  (succeed) -kitana na
reply, vi. -jóngisa mɔnɔkɔ, -yanola
  s. eyano, kojóngisa mɔnɔkɔ
  (to say 'yes') -ndima
report, s. nsango
  vt. -sangela, -yébisa
repose, vi. -péma
represent, vt. -lobela
representative, s. molobeli.2, moyangeli.2
reprimand, vt. -pámela
  s. mpámela
reprove, vt. -pámela
repudiate, vt. -bóya
reputation, s. lokúmu
  have a bad reputation -sámbwa
request, vt. -lɔmba
  s. kɔlɔmba
resemble, vt. -kokana na, -jala pelamɔ́kɔ́ na
reserve, vt. -bómba, -tíya pɛmbéni
  s. bilɔ́kɔ bibómbámí
reside, vi. -fanda (-fánda), -jalela

149

residence, s. **ndáko, efandelo**
resin, s. **mpaka**
resist, vt. **-témɛla, -tɛlɛmɛla**
resolution, s. **mokáno**
resolve, vi. **-kána**
  vt. (problem) **-limbola, -bɔ́ngisa**
respect, s. **botósi, limɛmí**
  vt. **-tósa, -mɛma**
rest, s. (repose) **kopéma, kofanda**
  (remainder) **litíka**
  vi. **-péma, -fanda**
rest-house, s. **libandahóli**
restore, vt. **-jóngisa, -butwisa**
  (to health) **-bíkisa, -bétola**
restrain, vt. **-pekisa**
resurrection, s. **lisékwá**
resuscitate, vt. **-bétola, -sékwisa**
  vi. **-bétwa, -sékwa**
return, vi. **-jónga, -butwa**
  vt. **-jóngisa, -butwisa**
  s. **kojónga**
reveal, vt. **-mɔ́nisa, -kundola**
revere, vt. **-mɛmisa, -kúmisa**
revive, vt. **-bíkisa, -bétola**
  (fire) **-pelisa**
  vi. **-bíka lisusu, -bétwa**
revolt, vi. **-tɔmbɔka**
  s. **kɔtɔmbɔka**
reward, s. **libónjá**
  vt. **-pésa libónjá**
rheumatism, s. **mingai**
rib, s. **mopanjé.10**
rice, s. **lɔ́sɔ**
rich, adj. **na misɔ́lɔ, na bojui, na bilɔ́kɔ míngi**
  rich person, s. **mojui.2**
riches, s. **misɔ́lɔ, bojui**
riddle, s. (sieve) **yangélo, yongélo, kiyangílo**
  (words) **lisese mɔké, etúneli**
ridge, s. (mountain) **nsɔ́ngé**
  (roof) **mɔtɔ́ndɔ́**
right, adj. (good) **sémbó, alimá, sɔ́lɔ́**
  (not left) **na lɔbɔ́kɔ na mobáli**
  be right **-koka, -bɔ́nga**
  it is right to go **ekokí kɔkɛnda**
righteous, adj. **na bɔyéngébéné**
righteousness, s. **bɔyéngébéné, sémbó**
rigour, s. **makási**
rind, s. **loposo.10**
ring, s. **lɔpété.10**
  vt. (bell) **-béta (ngɛlɛngɛlɛ)**
  (round) **-jíngela**

ripe, adj. **etelí, ɛlɛmbí**
ripen, vi. (yellow, red fruit) **-tela**
  (green fruit) **-lɛmba**
rise, vi. **-nétwa, -tómbwa, -téma, -télɛma**
  (from sick bed) **-bima**
  (of river) **-buta**
river, s. **ebalé, motíma**
road, s. **njelá, balabála, elekelo**
roam, vi. **-lekaleka, -lemalema**
roar, vi. **-nganga, -lela makási**
  (rapids, thunder) **-nguluma**
roast, vt. **-tumba**
rob, vt. **-yiba (-íba)**
rock, s. **libángá**
roll, vt. **-bóngola**
  vi. **-bóngwanabongwana**
roof, s. **mwanjá, nsamba**
room, s. **eténi na ndáko, esíká**
  bedroom **eténi na kolála**
  dining-room **eténi na kolíya**
root, s. **mosisa, ntína, ngínga**
  (of fallen tree) **ekumu**
rope, s. **nsinga, nkámba**
rot, vi. **-pɔla**
  vt. **-pɔlisa**
rotate, vi. **-jilingana**
rotation, s. **kojilingana**
round, adj. **lokóla jeló**
rouse, vt. (from sleep) **-longola na mpɔngi, -lamukisa,**
                                                  -bétola
row, s. (noise) **makɛléle**
  have a row **-swána, -wélana**
row, s. (series) **mɔlɔngó**
  (houses) **molóló**
  vt. **-lúka (nkáí)**
rub, vt. **-pakola, -kosa, -pangusa**
rubber, s. **ndembó, matópe, mopíla**
rubber-tree, s. **litópe, mopíla**
rubbish, s. **matíti, mbíndo**
rudder, s. **yenda**
ruin, vt. **-bébisa**
rule, s. (measure) **epímeli, météle**
  (law) **mobéko**
  vt. **-jala mokonji likoló na, -támbwisa**
rumble, vi. (thunder) **-nguluma**
run, vi. **-pota, -támbola mbángo**
  run away **-kíma, -míbíkisa**
  run here and there **-lekaleka**
rush, vi. **-sála mbángo, -támbola mbángo**
  (water) **-púnjwa**
  s. **litíti pɛmbéni na mái**

rust, s. **mabángá**
  vi. **-kɔ́ta mabángá, -béba mabángá**
  vt. **-bébisa mabángá**

S

Sabbath, s. **sabáta, mɔkɔlɔ na yenga**
sack, s. **líbenga**
  (large) **ngɔ́tɔ, likunía (kunía)**
sacrifice, s. **mbéka, moboma**
sad, adj. **na mawa**
sadden, vt. **-yókisa mawa**
saddle, s. **efandelo**
sadness, s. **mawa**
safe, adj. **na likámbá tɛ, na kobíka**
  make safe **-bíkisa**
safou tree, fruit **mosao.10**
sail, s. **elambá (na mɔpɛpɛ)**
saint, s. **mɔyéngɛbɛni, mɔpétɔ, mosémbwi.2**
sake, s., for the sake of **na ntína éte, na mpɔ̌ na**
salad, s. **saláta, biléí na matíti mobésu**
salary, s. **mbɔ́ngɔ, lifútí**
sale, s. **kɔtékisa, kɔtékama**
saliva, s. **nsɔ́i**
salt, s. **monana, mongwa**
salutation, s. **losako.10, mbɔ́tɛ**
salvation, s. **kobíka, kobíkisa, kobíkisama**
salvo, s. **jô**
same, adj. **motíndo mɔ́kɔ́, pelamɔ́kɔ́**
sanctification, s. **kobulisama**
sanctify, vt. **-bulisa, -pétɔla**
sanction, vt. **-pésa njelá, -ndima**
sand, s. **jɛlɔ (njɛlɔ)**
sandfly, s. **mokute.2/10**
sandal, s. **lipapa**
sandbank, s. **jɛlɔ (njɛlɔ)**
sap, s. **mái**
satiation, s. **litóndí, mbimbi**
satisfy, vt. **-sepelisa**
  (with food) **-tóndisa**
saturate, vt. **-pɔlisa na mái míngi**
Saturday, s. **mɔkɔlɔ na pɔ́sɔ**
saucepan, s. **lisasú (lisasó)**
savage, adj. **na yaúlí**
  s. (pejorative) **mɔsénji.2**
save, vt. (heal) **-bíkisa**
  (money) **-bómba, -bátela**

saviour, s. **mobíkisi**.2
savour, s. **ɛlɛngi**
saw, s. **mosumáni**
  vi. (across) **-káta na mosumáni**
  (down) **-pasola na mosumáni**
sawdust, s. **mpumbúlu**
say, vt. **-loba**
saying, s. **liloba**
scabies, s. **mpándá (pándá)**
scald, vt. **-jíkisa na mái na mɔ́tɔ**
scale, s. (fish) **mposo**
  (measure) **epímeli**
  (balance) **kiló**
scandal, s. **sɔngísɔngí, nsɔ́ni**
scandalise, vt. **-yókisa nsɔ́ni**
scarce, adj. **na bosenga, míngi tɛ́**
scare, vt. **-bángisa**
scarf, s. **njɛmbɛ**
scatter, vt. **-palanganisa, -panjisa, -bwáka bebobebo**
  vi. **-palangana, -panjana**
scent, s. **nsólo (nsoló), malási**
  vt. **-yóka nsólo, -lumbuta**
  vi. **-lumba**
scholar, s. **moyékoli**.2, **mwána na kalási**
school, s. **kalási (kelási), sukúlu (sekúlu)**
scissors, s.pl. **makási, siso**
scoff, vt. **-sɛka, -túka**
scold, vt. **-ngangela, -pámela**
scoop, s. **njaki, epopeli**
  vt. **-popa**
scorch, vt. **-jíkisa**
scorn, vt. **-tiyola, -boya**
scorpion, s. **nkotó**
scour, vt. **-kpuluta, -pétɔla makási**
scourge, vt. **-béta mpímbo, -béta sikɔ́ti**
scowl, vt. **-silika, -kanga elongi**
scrape, vt. **-palola (-paola)**
scratch, s. **mokúlútú (mokpúlútú)**
  vt. **-nyáka, -kpúluta**
scream, vi. **-nganga**
screw, s. **súkulú, nsɛtɛ**
  vt. **-yɔ́tɔla, -kanga**
scrub, vt. **-kpuluta na nkɔ́mbɔ́**
sculpture, s. **njeté tó libángá óyo ɛsɛsámí, ekeko**
sculptor, s. **mɔsesi na libáŋgá tó njeté**
scum, s. **mfulu, mbíndo na likoló na mái**
sea, s. **mái na monana, mái na mongwa, mái mɔnénɛ**
seal, s. (stamp) **elembo**
  (joint) **ekangelo**
  vt. **-kanga na elembo, -kanga makási**
search, vt. **-luka**

season, s. **ntángo, sánjá**
  caterpillar season **mbínjo**
  cold season **esío**
  dry season **ngangé**
  high water season **mpela**
  low water season **ngangé**
  rainy season **mbúla**
  dry season **elanga**
seat, s. **efandelo, ejalelo libáyá**
  chair **kíti**
  stool **ebóngá**
second, adj. **na míbalé**
secret, s. **libómbí, sɛ́kɛlɛ**
  adj. **na nkúku**
secure, vt. (fasten) **-kanga makási**
securely, adv. **ngwí**
see, vt. **-mɔ́na**
  see! interj. **tálá!**
seed, s. **mombóto.10, nkóna, mombuma.10**
seek, vt. **-luka**
seize, vt. **-kanga, -kamata, -simba**
seldom, adv. **míngi tɛ́**
self, pron. **mpenjá, mɔ́kɔ́**
  yourself **yɔ̌ mɔ́kɔ́**
  ourselves **bísó mpenjá**
selfishness, s. **moími**
sell, vt. **-téka, -tékisa**
  sell on credit **-békisa**
semen, s. **malóme**
send, vt. **-tóma, -tínda**
  send away **-panja**
  send back **-jóngisa**
  send for **-bíanga (-bénga)**
  send up **-butisa**
senior, adj. **mokóló, nkulútu**
sense, s. (wisdom) **mayɛ́lɛ**
  (meaning) **ntína**
senseless, adj. **ebébé**
sensible, adj. **na mayɛ́lɛ, na makanísí malámu**
sensitive, adj. **oyo ayóki nɔkí**
sentence, s. (jury) **ekáteli**
sentinel, s. **sínjílí, mɔkéngɛli.2**
sentry, s. **sínjílí, mɔkéngɛli.2**
separate, vt. **-kabola, -kɛsɛna, -tangola, -longola**
  vi. **-kabana, -tíkana**
sepulcre, s. **liyita (lilita), nkunda**
serious, adj. **na sɔlɔ́, na kosana tɛ́**
  a serious matter **likambo mɔnénɛ**
sermon, s. **litéyo**
serpent, s. **nyɔ́ka (nyóka)**
servant, s. **mosáli.2, mosungi**

serve, s. **-sálela, -sunga**
service, s. (work) **mosálá**
  (church) **losámbo**
  (thanksgiving) **matɔ́ndɔ́**
  (go to service) **-sámbela**
serviette, s. **litambála**
set, vt. (down) **-tíya**
  (seed) **-kóna, -lóna**
  (table) **-tánda**
  vi. (of sun) **-limwa**
  set about doing **-banda kosála**
  set fire to **-bambola**
  set out (journey) **-banda kotámbola**
settle, vt. (arrange) **-bɔ́ngisa**
  (quieten) **-tilimisa**
  vi. **-tilima, -kitana, -fanda, -jalela**
settlement, s. (debt) **lifútí, kofúta**
  (houses) **libonga**
seven, adj. **nsambo**
seventy, adj. **ntúkú nsambo**
several, adj. **mɔ́kɔ́, mɔ́kɔ́**
  They went their several ways. **Bakeí, moto na njelá**
                     na yé, moto na njelá na yé.
severe, adj. **na makási**
severity, s. **makási**
sew, vt. **-sɔ́na**
sewing, s. **lisɔ́ní**
shade, s. **mólíli**
shadow, s. **elílíngi, mólíli**
shake, vt. **-ninganisa**
  (hands) **-pésana mabɔ́kɔ**
  off (dust) **-pukisa**
  vi. **-ningana, -tetema, -lénga**
  (with fear) **-nyánga**
shallow, adj. **na bojindo tɛ́**
sham, vi. **-kosa**
shame, s. **nsɔ́ni**
  vt. **-yókisa nsɔ́ni**
  be with shame **-yóka nsɔ́ni**
shameful, adj. **na nsɔ́ni**
shape, s. **loléngé, motíndo**
share, vt. **-kabola, -kabana**
  s. **likabo**
sharp, adj. **mɔpɔtú, na líno, na mpía**
  (acid taste) **na ngaingai**
sharpen, vt. **-pelisa, -séba**
  (to point) **-sɔ́ngɔla**
shave, vt. **-kolola (-kulola)**
  (beard) **-longola mandɛfu**
shaving (wood) **epapo, epaso**
shawl, s. **libáyá**

she, pron. yé

sheath, s. libabo, mbonga

shed, s. ndáko mɔké, nganda
  vt. -tangisa, -sopa

sheep, s. mpaté, mɛmɛ

sheet, s. (paper) lokásá.10
  (bed) elambá na mbétó
  (metal) linjanja

shelf, s. motáláká, libáyá
  for drying fish etc. eyítelo, etangé

shell, s. (nut) loposo.10
  (oyster) lokelé.10
  (tortoise) ekókóló
  vt. -longola loposo

shelter, s. libandahóli, ebómbelo, ekímelo, ndáko
  vt. -bómba, -kéngɛla, -pésa ndáko

shepherd, s. mobáteli na mpaté

shield, s. nguba
  vt. -bátela

shin, s. mokwa na mpéndé

shine, vi. -tána, ngɛnga

shining, adj. na lángilángi

ship, s. masua

shirt, s. semísi

shiver, vi. -tetema, -lénga

shock, s. (of electric fish) mobando
  (of other things) kɔbéta na makási
  give an electric shock -bandela

shoe, s. sapato, ekótó

shoot, s. (plant) etapé na sika
  vt. -béta (bondóki, mbánjí...)
  vi. (sprout) -tɔa

shop, s. magasíni, mangasa, sitówa

shore, s. libóngo

short, adj. mokúsé.4

shorts, s. kaputóla

shorten, vi. (shrink) -bendana, -yâ mokúsé
  vt. -káta mokúsé, -yéisa mokúsé

shoulder, s. libéka, lisɔ́kí, litɔkɔtɔkɔ

shout, vi. -ngánga, -lela makási, -béela
  shout at -béelela, -pámela

shove, vt. -púsa, -tíndika, -sukuma

shovel, s. mpáo (lopáo)

show, vt. -mɔ́nisa, -tálisa
  vi. -mɔ́nana

shower, s. mwá mbúla mɔké, kosukola na nsé na mái
                          majalí kotanga

shred, s. epapo, epaso
  vt. -palola (-paola)

shrewd, adj. na mayɛ́le, na makanísí

shrill, adj. na makási (mongóngo)

shrimp, s. **ntángá**
shrink, vi. **-míbénda, -béndana**
shrivel, vi. **-kɔ́nda**
shrug, vt. (shoulders) **-ninga njóto**
shudder, vi. **-lénga, -tetema (-tɛtɛma), -nyanganyanga**
shun, vt. **-bóya, -pɛngwɛla, -tiyola (-tiola)**
shut, vt. **-jipa (-liba), -kanga, -funga**
   shut up! **jalá nyɛ! kímyá!**
shutter, s. **lininísa**
sick, adj. **na maláli, na bɔkɔnɔ**
   be sick **-bɛla maláli, -kɔna**
   (vomit) **-sánja**
side, s. **epái, mopanjé**
   the other side **ngámbo, epái mosúsu**
sieve, s. **yángélo, yóngélo, kiangílo**
   vt. **-yángela, -yóngela**
sigh, vi. **-kímela**
sight, s. **kɔmɔ́na, míso**
sign, s. **elembo**
   (of end of palaver) **móndengé**
   vt. **-tíya lɔbɔ́kɔ, -koma nkómbó**
signature, s. **ekomélí, nkómbó, lɔbɔ́kɔ**
silence, s. **kímyá (kímíá), nyɛ**
silent, adj. **na nyɛ**
   be silent **-jala nyɛ**
silly, adj. **na jóba, na elémá**
silver, s. (metal) **paláta**
   (money) **mɔsɔlɔ, mbɔ́ngɔ**
similar, adj. **lokóla, motíndo na, pelamɔ́kɔ́**
similarly, adv. **boye, lokóla**
simple, adj. **na mikakatano té, polélé**
simpleton, s. **óyo ayébí makambo té, elémá**
simplify, vt. **-sémbola, -limbola**
simultaneous, adj. **mbala mɔ́kɔ́, ɛlɔngó**
sin, s. **lisúmu, mabé**
   vi. **-sála lisúmu**
since, adv. (time) **longwá na, bándá na, útá na**
   (because) **áwa**
   Since he has repented... **Áwa esílí yé kobóngola motéma**
sincere, adj. **na sémbó, na lokutá té, na sɔlɔ́**
sinew, s. **mosisa**
sinful, adj. **na masúmu**
sing, vt. **-yémba**
   (cock) **-tónga**
singe, vt. **-jikisa mwá, -bábola**
single, adj. **bɔbélé mɔ́kɔ́**
   unmarried man **likombe**
   unmarried woman **ndúmba**
single out, vt. **-pɔna**
singlet, s. **mopíla, ndɛnda**

sink, vi. **-jinda (-linda)**
  vt. **-jindisa**
  (a hole, well) **-timola**
sinner, s. **moto na masúmu**
siren, s. (boat) **mokwango, loseba**
  (mythical figure) **molímó na mái**
sister, s. **ndeko mwásí**
  (R.C. nun) **masélɛ**
  sister-in-law of woman **sɛmɛki**
  sister-in-law of man **mwásí**
sit, vi. **-fánda, -jala na nsé, -kisa**
  vt. **-fándisa, -jalisa na nsé**
site, s. **etóngelo, esíká**
  abandoned village **mɔpɔtú**
  new site for village **libonga**
six, adj. **motóbá**
sixteen, adj. **jómi na motóbá**
sixty, adj. **ntúkú motóbá**
size, s. **mɔnénɛ, mbinga**
skeleton, s. **mikwa**
sketch, s. **mwángo, elílíngi**
skill, s. **mayélɛ, nkítá**
skim, vt. **-kóngola**
  skim milk **mabélɛ malongólámí mafúta**
skin, s. **loposo.10, ekótó**
  vt. **-longola loposo**
skirt, s. **kangatúmbu, fungatúmbu, sangatúmbu**
skull, s. **ɛbɛbɛlɛ**
sky, s. **lóla, likoló**
slab, s. **epaso mɔnénɛ**
slacken, vt. **-lɛmbisa**
slackness, s. **bɔlɛmbu**
slake, vt. (thirst) **-sílisa (mpósá na mái)**
slam, vt. **-jipa ngwí, -kanga makási, -kwéisa na nguyá**
slander, vt. **-tɔnga, -túka**
  s. **litɔngí, kotúka**
slap, vt. **-bámbola mbatá**
  s. **mbatá**
slash, vt. **-sɛsa**
slate, s. **ekomelo, libángá na kalási**
slave, s. **moombo.2**
slavery, s. **boombo**
slay, vt. **-boma**
sleep, s. **mpɔngí**
  vi. **-lála mpɔngí**
sleeve, s. **lɔbɔ́kɔ.6**
slice, s. **eténi**
  vt. **-sɛse, -káta**
slide, vi. **-sɛlimwa**
slight, vt. **-tiyola (-tiola)**

slim, adj. **na kɔkɔ́nda, na mbinga té**
  vi. **-kɔ́nda**
sling, s. (for baby) **njɛmbɛ**
  (for palm climber) **molangó, mwangó**
slip, s. (boat) **ɛbɔ́ngisɛlɔ (na masua)**
  vi. **-sɛlimwa**
slippery, adj. **na mɔsɛlí (mɔsɛlú)**
slipperiness, s. **mɔsɛlí, bɔsɛlí**
slit, s. **mokaka**
slovenly, adv. **búsúbusu, wúsúwusu**
slope, s. **ekiteli**
  vi. **-kengama**
slowly, adv. **malémbɛ, na mɔí na mɔí**
sly, adj. **na mayélɛ mabé, na kokosa**
small, adj. **mɔké**
  small child **mwána mɔké**
  smaller brother **molimi.2**
smallpox, s. **kolokóto (kokóto), mángwelé**
smart, adj. **kitɔ́kɔ, bonjéngá**
  (alert) **na mayélɛ**
  vi. (wound) **-yóka mpasi**
  my wound smarts **mpótá esálí ngáí**
smash, vt. **-bukabuka, -boma, -bébisa nyé**
smear, vt. **-pakola, -bisa**
smell, s. **nsólo (nsoló)**
  sweet smell **malási**
  bad smell **elumbí, mokinja**
  fishy smell **jei**
smile, vi. **-munga, -sɛka mɔké**
  s. **limunga**
smith, s. **motúli.2**
smithy, s. **etúlelo, nkúka**
smoke, s. **mólinga**
  vi. (as fire) **-bimisa mólinga**
  vt. (fish) **-yíta**
  (tobacco) **-mɛla (likáyá)**
smooth, adj. **pátátáló, lambasanu**
smother, vt. **-kíbisa**
snag, s. **ejónga, ekumu, mɔkɔkɔ**
snail, s. **nkɔlɔ́**
  (large, edible *Achatina*) **mɔbɛmbé.10**
snake, s. (gen.) **nyɔ́ka (nyóka)**
  green spp. **nkongá**
  horned spp. **libáté**
  python **ngúma**
  viper **etúpá**
  water spp. **mamba**
snap, vt. **-buka**
  vi. **-bukana**
  snap fingers **-béta móndengé**
snare, s. **lilónga**

sneeze, vi. **-kiswa**
  s. **likisó, likiswá**
sniff, vt. **-nusa**
snigger, vi. **-sɛka kɛkɛkɛ**
snore, vi. **-nguluma**
snub, vt. **-pɛngɔla, -tiola**
snuff, s. **tumbáko, likáyá na konusa**
so, adv. **boye, bôngó**
  so that **éte, na ntína éte**
  so big as **mɔnénɛ lokóla**
so-and-so, pron. **sóngóló**
  second person – referred to: **pakala**
soak, vt. **-yína, -pɔlisa**
soap, s. **sabóni**
sob, vi. **-sɛkuma, -lela míngi míngi**
society, s. **lingómbá**
sock, s. **sɔséti**
soft, adj. **petɛpetɛ, motau, bɔlɛmbú**
soften, vt. **-lɛmbisa**
  vi. **lɛmba**
softness, s. **bɔlɛmbú, motau**
soil, s. **mabelé**
sojourn, vi. **-fanda, -lála, -úmela na esíká**
soldier, s. **sodá.2**
sole, adj. **bɔbélé, mpenjá**
  s. (foot) **litámbé**
solicitude, s. **kokanisa, kobátela**
solid, adj. **na makási**
  s. **ɛlɔkɔ na makási**
solitude, s. **molengéli**
solve, vt. **-limbola**
some, adj. **mosúsu, mwá (mwa)**
  give me some water **pésá ngáí mwá mái**
  some (people)...others **bato mosúsu...bamosúsu**
someone, pron. **moto mɔkɔ́**
  so-and-so **sóngóló**
something, pron. **ɛlɔkɔ mɔkɔ́**
somewhere, pron. **esíká mɔkɔ́**
son, s. **mwána mobáli**
son-in-law, s. **mobáli na mwána mwásí**
song, s. **loyémbo.10 (njémbo)**
soon, adv. **na ntángo mɔké**
soot, s. **mputúlú na mólinga**
soothe, vt. **-bɔ́ndisa**
sorcerer, s. **mɔlɔki.2**
sorcery, s. **ndɔki, likundú**
sorrow, s. **mawa, motéma bojito**
sorry, to be **-yóka mawa**
  sorry! **límbísá ngáí!**
sort, s. **motíndo, loléngé.10**
  all sorts **ndéngé na ndéngé**

soul, s. **molímó.2**
sound, adj. **na makási, na libébí té, na mpótá té**
  s. **mongóngó, makɛlélɛ, lokito**
  vt. (bell) **-béta**
  (water-depth) **-meka...na mpɔndɔ**
sounder, s. **mpɔndɔ**
soup, s. **súpu, mosáká**
sour, adj. **na ngaingai**
source, s. **eútelo, ebandelo**
  (water) **motó na mái**
south, s. **epái na "sud"**
souvenir, s. **ekaniseli**
sow, vt. **-kóna (-lóna)**
spade, s. **lopáo, mpáo**
spark, s. **lotótó.10**
sparkle, vi. **-ngɛnga**
speak, vi. **-loba, -soola (-solola)**
spear, s. **likongá (likɔngá)**
speck, s. **moputúlú.10, mopumbú.10**
speckled, adj. **matɔnɔmatɔnɔ**
spectacles, s. **talatála**
spectator, s. **motáli.2**
spectre, s. **mongólí**
speed, s. **lobángo, mbángo**
spell, s. (charm) **nkísi, mɔnɔ**
  vt. **-yébisa bilembo na liloba**
  cast a spell **-lɔka**
spend, vt. **-bimisa misɔlɔ**
  (consume) **-sílisa, -líya**
sphere, s. **jeló, lokóla jeló, lokóla ndembó**
spider, s. **lifofe**
spider's web, s. **nkɔmbɛ (kɔmbɛ)**
spinach, s. **lisábá, liyíká**
  sweet potato **matɛmbélɛ**
  manioc **mpɔndú**
spinster, s. **ndúmba**
spirit, s. **molímó.2/4**
spit, vi. **-twâ nsɔi**
spite, s. **likúnya**
  vt. **-yókisa nsɔni**
  in spite of **átâ**
  In spite of his wound, he can walk. **Átâ ajalí**
                         na mpótá, ayébí kotámbola.
spittle, s. **nsɔi**
splendour, s. **nkémbɔ**
splinter, s. **epaso**
split, s. **mokaka**
  vi. **-paswana**
  vt. **-pasola**

spoil, vi. **-béba**
  vt. **-bébisa, -punja**
  s. **matéka, bilɔ́kɔ bipunjámí**
sponge, s. **linuka**
spoon, s. **lokelé.10, lopáo.10, lóto**
spot, s. (place) **esíká, epái**
  (stain) **litɔ́nɔ́**
spotted, adj. **matɔ́nɔ́matɔ́nɔ́**
spray, vt. **-mwangisa**
  s. (in front of canoe) **elóló**
spread, vt. **-tánda, -sémbola, -palanganisa**
spring, s. (water) **etóko, motó na mái**
  vi. **-pombwa, -fumbuka**
sprout, vi. **-tɔa, -bima**
spy, vt. **-nɔ́nga, -kéngɛla**
  s. **mɔnɔ́ngi.2**
squash, vt. **-nyatela**
  (with fingers) **-fínya**
squat, vi. **-sondama, -sunama**
squeal, vi. **-lela**
squeeze, vt. **-nyata, -kamola**
squint, vi. **-tála na míso mɔsɛlé**
squirrel, s. **eséndé**
stage, s. (play) **esanelo**
  (journey) **ɛtémɛlɔ (na mobémbo)**
stain, s. (spot) **litɔ́nɔ́, mbíndo**
  (colour) **lángi, mokóbo**
staircase, s. **ebutelo, ngandó, njelápánda**
stake, s. **njeté, likonji**
  stake out (house...) **-pima (píma)**
stammer, vi. **-kékuma**
stammering, s. **likékuma**
stamp, s. (rubber, metal) **kasé**
  (postage) **témbele**
  vi. (letter) **-tíya témbele**
  (with feet) **-béta makolo**
  stamp on **-nyata, nyatela**
stand, s. **ɛtémɛlɔ**
  vi. **-téma, -tɛlema**
star, s. **mɔ́tɔ (na likoló)**
  evening planet **mɔkwɛtɛ**
starch, s. **midó, amidó**
stare, vi. **-tála píí**
start, vi. **-bánda**
  vt. **-bándisa**
starve, vi. **-kúfa na njala**
state, s. **ejalélí, motíndo, loléngé**
  government **letá**
station, s. **posta, efandelo, etúká**
  (railway) **gále**
statuette, s. **ekeko**

stay, vi. **-tíkala, -fanda, -úmela**
  vt. (time) **-pekisa, -jalisa nsima**
  (support) **-súka**
steadfast, adj. **ngwí**
steal, vt. **-yíba, -bɔtɔla**
steam, s. **moúli, mólinga na mái**
  vt. **-lámba**
steamer, s. **masua**
steer, vt. **-yamba**
stem, s. **njeté**
stench, s. **elumbi, nsólo mabé**
step, s. **litámbé**
  (of ladder) **ebutelo**
  step by step **na mɔí na mɔí**
sterile, adj. **na mbuma tɛ, kobóta tɛ**
  sterile woman **ekomba**
stern, s. **epái na nsima na bwáto to masua**
  adj. **makási, na kolímbisa nɔkí té**
stew, vt. **-lámba**
stick, s. **njeté, língénda, mpango**
  (to beat rhythm for paddlers) **ekoko**
  vi. **-kangema, -kangama**
  vt. **-bakisa, -kanga**
stiff, adj. **makási, na kokúmbama té**
stifle, vt. **-kíbisa**
still, adv. **naíno**
  adj. **na nyé, na kotilima**
sting, vt. **-swâ**
stingy, adj. **na moími**
stink, vi. **-lumba**
stir, vt. (food) **-kúlumba, -balola**
  (fire) **-pelisa**
stitch, vt. **-sɔna**
  s. **lisɔní**
stoke, vt. **-pelisa**
stomach, s. **likundú, libumu**
stone, s. **libángá**
stool, s. **ebóngá, efandelo, ajenu**
  s.pl. **nyeí, tobí**
  pass stools **-sumbá nyeí**
stop, vi. (halt) **-téma, -télɛma**
  (cease) **-tíka**
  vt. **-témisa, -télɛmisa**
  (restrain) **-pekisa**
stopper, s. **lilita (na molangi)**
store, s. **magasini, sitówa, ebómbelo**
storey, s. **mokili**
storm, s. **mbúla makási**
  tornado **mɔpɛpɛ makási**
story, s. **lisapo, lisese, lisolo**
stove, s. **ekálingelo, mɔtɔ, lifika**

straight, adj. **álima, sémbó**
straighten, vt. **-sémbola, -ninola**
  (erect) **-kumbola**
strain, vt. (liquids) **-kóngola**
strainer, s. **ekóngweli**
strand, s. **etángwa**
strange, adj. **na kokamwa**
stranger, s. **mopaya.2**
strap, s. **nkámba**
straw, s. **matíti makaókí**
stray, vi. **-lemalema, -pεngwa njelá, -búnga**
streaked, adj. **njelánjelá**
stream, s. **motíma, mɔkεlε**
  vi. **-kεla**
street, s. **molóló**
strength, s. **nguyá, makási**
strengthen, vt. **-kémbisa, -léndisa, -pésa...nguyá**
stretch, vt. (out) **-sémbola, -nánola**
  (lengthen) **-bénda molaí**
  vi. (after sleep) **-nyoloka**
strew, vt. **-palanganisa, -mwangisa**
strike, vt. **-béta, -bola, -túta, -tâ**
  vi. **-tíka kosála mosálá**
string, s. **nsinga, nkámba**
strip, vt. (leaves) **-palola**
  (clothes) **-longola bilambá**
stripe, s. (military) **lɔpété.10**
  (weal) **lipípí**
  (in cloth) **mɔngɔlú**
striped, adj. **njelánjelá**
strong, adj. **makási, na nguyá**
  become strong **-kémba**
struggle, vi. **-wélana, -mekana**
  (wrestling) **libanda**
stubborn, adj. **na mpokotói**
study, vt. **-yékola**
  s. (subject) **makambo na koyékola**
  (room) **ndáko na koyékola**
stumble, vi. **-tâ libakú, -túta lokolo**
stumbling block, s. **libakú**
stump, s. **ekumu, ntína**
stun, vt. **-senjwisa**
stupid, adj. **na elémá, na jóba, ebébé**
stupidity, s. **bolémá, jóba, ebébé**
sty, s. (in eye) **litóngwána**
  (pigs) **ndáko na ngulúbe**
subdue, vt. **-leka na nguyá, -jóngisa na nsima**
subject, s. (matter) **likambo, mpɔ̃**
submerge, vt. **-jindisa**
submissive, adj. **na kímyá, na botósi**
submit, vi. **-tósa, -sɔkεma**

subordinate, adj. **na nsima, na nse, na bokonji mɔkɛ́**
subside, vi. **-tilima, -bɔnda, -kita**
substitute, vt. **-sénja, -sómbotana**
   s. **mokitani.2**
subtract, vt. **-longola**
succeed, vi. **-lónga**
   vt. (take place) **-kitana na**
success, s. **kolónga**
such, adj. **pelamɔ́kɔ́, lokóla**
suck, vt. **-bénda (mái)**
   (baby) **-núnga**
suckle, vt. **-núngisa**
suddenly, adv. **pwasa, nɔkí**
suffer, vi. **-yóka mpási, -jua bɔlɔ́jí**
   vt. (allow) **-tíka**
suffering, s. **mpási, bɔlɔ́jí**
suffice, vi. **-koka, -bɔ́nga**
suffocate, vt. **-kíbisa**
   vi. **-kíba**
sugar, s. **sukáli, (sukále)**
sugar-cane, s. **lokoko.10 (nkoko)**
suggest, vt. **-pésa tolí**
suit, vi. **-koka, -bɔ́nga**
   s. (cloth) **molóto**
   (law-court) **likambo, kosámba**
suitable, adj. **óyo ekokí, óyo ɛbɔ́ngí**
suitor, s. **mobandi.2**
sum, s. **motúya**
   vt. **-sanganisa**
summit, s. **nsɔ́ngé**
summer, s. **ntángo na móí, ngangé**
summon, vt. **-bíanga (-bénga)**
sun, s. **móí, ntángo, líso na lóla**
Sunday, s. **mɔkɔlɔ na yenga, eyenga**
sunrise, s. **kobima na móí, ntɔ́ngɔ́ etání**
sunset, s. **kolimwa na móí**
sunshade, s. **lɔngɛmbú**
superior, adj. **na likoló, na libosó, na lokúmu koleka**
   s. **mokóló.4**
superstition, s. **endimandima, eyambayamba**
supper, s. **biléí na mpókwa**
supply, vt. **-pésa**
support, vt. **-súka, -súkisa, -kúmba**
suppose, vt. **-bánja**
sure, adj. **na sɔ́lɔ́**
surety, s. **ndanga**
surface, s. **etando**
surname, s. **nkómbó**
surpass, vt. **-leka, -pusa**

surprise, vt. **-kamwisa**
  s. **kokamwa, ekamwiseli**
  be surprised **-kamwa**
surround, vt. **-jínga, -jíngela, -línga**
surroundings, s.pl. **bipái bijíngélí**
survive, vi. **-bíka**
survivor, s. **mobíki.2**
suspend, vt. (hang) **-kakisa, -kakemisa**
  (dismiss) **-bimisa na mosálá**
  (stop) **-télɛmisa**
  in suspense **na motéma likoló, na kojila**
swallow, vt. **-mɛla, mɛla…kólóló**
swamp, s. **lisaka**
swarm, s. (bees) **libóké na njóí**
  (people) **ebelé**
swear, vt. (oath) **-simba ndáí, -káta ndáí**
  (blaspheme) **-túka, -pata nkómbó na Njámbé mpámba**
sweat, s. **molunge, mitoki**
  vi. **-toka, -bimisa molunge**
sweater, s. **ndɛnda (dɛnda) mopíla**
sweep, vt. **-kɔmba**
sweepings, s. **matíti**
sweet, adj. **na ɛlɛngi**
sweetness, s. **ɛlɛngi**
swell, vi. **-bimba, -tutwa**
swelling, s. **ebimba**
swerve, vi. **-pɛngwa**
swiftly, adv. **nɔkínɔkí, mbángo**
swim, vi. **-nyanya, -béta mái**
  know how to swim **-yéba mái**
swindle, vt. **-jimbisa, -kosa**
swirl, vi. **-timba**
swoon, vi. **-senjwa**
sword, s. **mopánga**
symbol, s. **elembo**
sympathise, vi. **-yóka mawa ɛlɔngó na**
  (with) **-bɔ́ndisana**
syphilis, s. **kasɛndɛ**

T

table, s. **mésa**
taboo, s. **ekila, ngila**
tack, s. **nsétɛ mɔké**
tail, s. **mokíla, mɔkɔndɔ**
  elephant's tail with hair **epunja**
tailor, s. **mɔsóni bilambá**

166

take, vt. **-kamata**
  take apart **-kangola, -bakola**
  take away **-longola, -bɔtɔla**
  take courage **-yíka mpíko**
  take fire **-bambwa, -pela**
  take off (plane) **-pombwa**
  take snuff **-nusa likáyá (tumbáko)**
  take up (from ground) **-lɔkɔta**
  take! **mâ!**
tale, s. **lisapo, lisese**
talisman, s. **nkísi, mónganga**
talk, vi. **-loba, -soola**
  talk idly **-lobaloba**
tall, adj. **molaí.2**
tame (animal) **ɛbwɛ́lɛ́**
tam-tam, s. **lokolé.10, ngɔma**
tan, vt. **-kánda (loposo na nyama)**
tangle, vt. **-bulunganisa**
  s. **mobulu**
tap, vt. (door etc) **-béta kókókó, -béta mɔkɛ́**
  s. **ekangeli (na mái)**
taper, vt. **-sɔ́ngɛla**
tardy, adj. **na nsima, na limɔngí, na koúmela**
tares, s.pl. **matíti mabé**
target, s. **ngwángwata (ngbángbata)**
tarpaulin, s. **héma, kunía (lukunía)**
tarry, vi. **-úmela, -mɔnga**
task, s. **lotómo, etíndá, mosálá**
taste, s. (good) **ɛlɛngi**
  (bitter) **bololo**
  (acid) **ngai, ngaingai**
  vt. **-meka, -lɛta**
tasteless, to be **-sábwa**
tatoo, s. **nkomá, njɔlɔ́kɔ**
  vt. **-káta njɔlɔ́kɔ**
taunt, vt. **-túmola, -túka**
taut, adj. **ndíndíndí**
tax, s. **mpáko, ntáko (táko)**
tea, s. **ti**
tea-pot, s. **mbilíka**
teach, vt. **-lakisa, -téya**
teacher, s. **molakisi.2, motéyi.2**
teaching, s. **litéyo, ndakisa, lilako**
tear, s. **mpísoli**
tear, vt. **-pasola**
  be torn **-paswa**
tease, vt. **-túmola, -tungisa**
teat, s. **nsɔ́ngé na libélɛ**
teem, vi. **-yíkana, -fuluka, -tóndana**
temerity, s. **moléndé, mpíko**

temper, s. (bad) nkɛlɛ, motéma mokúsé
  (good) motéma molaí, mɔnjɛlɛ
  (of metal) ejalélí, kobúkana nɔkí té
  lose one's temper -lemwa
tempest, s. mɔpɛpɛ makási, mbúla mɔnénɛ
temple, s. tempelo, ndáko mɔnénɛ na Njámbé
tempt, vt. -kosa, -meka, -léngola
ten, adj. jómi
tend, vt. -bátela, -kolisa
tender, adj. motau, pɛtɛpɛtɛ
tendon, s. mosisa
tent, s. héma
tenth, adj. na jómi
  s. ndámbo na jómi
term, s. (length) elaká.8/10
  (end) nsúka
termite, s. (small) nsɛlɛlɛ
  (large) nsɛkɛlɛkɛ, ndɔngɛ
termite-hill, s. lindɔngɛ
terrify, vt. -bángisa míngi, -yókisa nsɔmɔ mɔnénɛ
terror, nsɔmɔ mɔnénɛ, kobánga míngi
test, s. komeka, komekana
  vt. -meka
testament, s. kondimana, endimaneli
testicle, s. libínjí, likata
testify, vi. -tatola
testimony, s. litatólí
thank, vt. -tɔnda
  thanks, s.pl. matɔndí
  thanksgiving (harvest) matɔndɔ́
  thank you! matɔndí! ebóto! mélesi míngi!
that, conj. éte
  adj./pron. yangó
thatch, s. (Sarcophrynium) nkongo
  (bamboo-palm) ndɛlɛ
  vt. -tonga mwanjá
thee, pron. (ancient) yɔ
theft, s. koyíba
their, adj. na bangó
  (objects) na yangó
them, pron. bangó
  (objects) yangó
then, adv. na ntángo yangó
  conj. boye, bôngó, ka, ndé, mbɛlɛ, mbɛ
there, adv. kúná, wâná
therefore, conj. boye, bôngó
they, pron. (persons) bangó
  (things) yangó
thick, adj. na mbinga
thickness, s. mbinga
thief, s. moyíbi.2 (moíbi.2)

thigh, s. ɛbɛlɛ (ɛbɛlɔ)

thin, adj. mɔké, na mbinga té
  (of living things) na kɔkɔnda
  (of soup) óyo esábwí

thing, s. elɔkɔ
  (affair) likambo
  thingumijig (person whose name is forgotten)
                        sóngóló, pakala
  small thing elɔ́lɔkɔ

think, vi. -kanisa, -bánja
  make to think, remind -kanisela

third, adj. na mísáto
  s. ndámbo na mísáto

thirst, s. mpósá na mái
  be thirsty -yóka mpósá na mái

thirteen, adj. jómi na mísáto

thirty, adj. ntúkú mísáto

this, adj./pron. óyo

thither, adv. kúná

thorn, s. monjúbe.10 (njúbe)

thou, pron. (ancient) yɔ́

though, conj. átâ

thought, s. likanísí, lobánjo

thoughtless, adj. na motó té, ma makanísí té

thousand, s. nkóto

thread, s. nsinga
  sewing thread busi (núsi)
  vt. -kɔ́tisa búsi na ntonga, -sɔ́ngɛla búsi

threaten, vt. -kánela

three, adj. mísáto

throat, s. nkíngó

throne, s. kíti na mokonji

throng, s. ebelé, nkáká

through, adv. na káti
  pass through -leka káti na...
  bring through -lekisa
  prep. mpɔ̌ na, na njelá na

throw, vt. -bwáka, -tâ
  throw oneself on -míbwákela

thrust, vt. -tíndika, -sukuma

thumb, s. mosápi na mobáli

thunder, s. konguluma
  vi. -nguluma

Thursday, s. mɔkɔlɔ na mínei

thus, adv./conj. boye, bôngó

tick, s. mpóka

tickle, vt. -nyɔmita

tidings, s. nsango

tie, vt. -kanga, -kangisa

tightly, adv. (fast) ngwí
  pull cord tightly ndíndíndí

169

tighten, vt. (cord) **-bénda ndíndíndí**
 (knot, screw) **-kanga ngwí**
tile, s. (earthenware) **kaló**
 (leaf) **ndɛlɛ, nkongo**
till, prep. **kíno, téé**
tilt, vt. **-kékisa, -tɛkisa**
timber, s. **mabáyá, njeté**
time, s. **ntángo, elaká**
 for a long time **ntángo molaí, téé**
 at a time **mbala mɔ́kɔ́**
times, s.pl. **mbala**
 twice **mbala míbalé**
 season **lóla, sánjá**
timepiece, s. **likánga, sáa**
tin, s. (box) **kɔ́pɔ**
 (tile, sheet) **linjanja**
tincture, s. (iodine) **tɔtɔlítɔ (tɔtɔlítɔ)**
tip, s. (extremity) **nsɔ́ngé**
 (gift) **matabísi**
tire, vi. **-lɛmba**
 vt. **-lɛmbisa**
titter, vi. **-sɛka kɛkɛkɛ**
to, prep. **na, mbóka na, epái na**
 (Use -EL- suffix of verb:
  I shall send to you. **Nakotíndela yɔ̌…**
to and fro **epái na epái**
toad, s. **kpɔ́dɔ**
toast, vt. **-tumba**
tobacco, s. **likáyá, tumbáko**
 (European) **mongolo**
today, adv. **lɛlɔ́**
toe, s. **mosapi (na lokolo)**
together, adv. **ɛlɔngɔ́, ɛlɔngɔ́ mɔ́kɔ́**
 (Use the -AN- suffix to the verb:
  We worked together. **Tosálání mosálá)**
toil, s. **mosálá makási, bwále**
toilet, s. **kabine**
token, s. **elembo**
tomato, s. **tomáto (tomáti)**
tomb, s. **liyita (lilita), nkunda, mobomba, ngélo**
tomorrow, s. **lóbí (ekoyâ)**
tongs, s. **ekamateli**
tongue, s. **lolémo.10 (ndémo)**
 (idiom) **mɔnɔkɔ, lokóta.10, liloba, elobélí**
tonight, adv. **lɛlɔ́ na mpókwa**
too, adv. **na koleka**
 too many **míngi koleka**
 too small **mɔké koleka**
 (also) **mpé, lokóla**
 I too will come. **Ngáí mpé nakoyâ.**
tool, s. **esáleli, ɛlɔ́kɔ na mosálá**

170

tooth, s. **líno (pl. míno)**
  tooth-ache **nyama na líno**
  tooth-brush **nkékélé na míno**
  tooth-pick **mbánjí na míno**
top, s. **likoló, nsóngé**
torch, s. **esungi**
torment, s. **mɔnyɔ́kɔ**
  vt. **-nyɔ́kɔla, -túmola**
tornado, s. **mɔpɛpɛ makási**
torrent, s. **mɔkɔlɔ**
tortoise, s. **nkóbá, njɛnjɛ**
torture, s. **mɔnyɔ́kɔ**
  vt. **-nyɔ́kɔla**
toss, vt. **-bwáka likoló**
totter, vi. **-telengana, -bilingana**
touch, vt. **-mama**
  s. (in game) **lipáté (epáté)**
tour, s. (journey) **mobémbo molaí, mobémbo na**
                  kotála mokili
tow, vt. **-bénda**
toward(s), prep. **epái na, kíno**
  (person) **mbóka na**
towel, s. **litambála, lisumɛ (sumɛ) elambá**
town, s. **mbóka**
trace, s. **elembo**
  vt. **-bila bilembo na, -landa nsima**
track, s. **matámbé, njelá**
  vt. **-béngana na, -landa**
trade, s. **mombóngo**
  vi. **-sála mombóngo**
traffic, s. (commerce) **mombóngo**
  (road) **fwatíli mpe kaminyɔ na njelá**
train, s. **masua toto (tɔtɔ), masua na mokili**
  vt. **-lakisa mosálá**
traitor, s. **mɔsɛnginyi.2, mokabi.2**
trample, vt. **-nyatela, -nyata**
tranquil, adj. **na kímyá, na kotilima**
tranquillize, vt. **-tilimisa**
transfer, vt. **-lekisa epái mosúsu**
transfix, vt. **-túba, -tɔbɔla**
transform, vt. **-bóngola, -kalambisa**
transgress, vi. **-pɛngwa, -sála mabé, -sopa mibéko**
translate, vt. **-bóngola mɔnɔkɔ, -bóngola liloba,**
                  -limbola liloba
transport, vt. **-kumba, -mema**
trap, s. (animals gen.) **lilónga, motámbo**
  (elephant) **elongo**
  (fish) **mɔlékɛ.10 (ndékɛ)**
  vt. (animals) **-támba**
travel, vi. **-támbola, -kenda**
tray, s. **ɛmɛmeli, ekamateli**

tread, vi. **-nyata, -nyatela**
treat, s. **likambo na kosepela, kosepelisa**
treat, vt. (make happy) **-sepelisa**
  (with respect) **-mɛmya, -tósa, -kúmisa**
  (with disrespect) **-tiyola (-tiola)**
treaty, s. **kondimana, endimaneli, lingeléma**
tree, s. (gen) **njeté**
  spp: African teak *(Chlorophora)* **molondó**
  for arrows *(Heistera)* **lobásí**
  for bark-cloth *(Ficus)* **ngumu**
  for bread-fruit *(Artocarpus)* **lihímbo**
  for caterpillars *(Combretodendron)* **mobínjo**
  for kapok *(Ceiba, Bombax)* **mbukulu**
  for paddles *(Staudtia)* **molanga**
  umbrella tree *(Musanga)* **kombokombo**
  red wood for drums *(Pterocarpus)* **ngola**
  yellow wood *(Nauclea)* **mɔkɛsɛ**
tremble, vi. **-lɛnga, -tetema (-tɛtɛma)**
trench, s. (drainage) **mwanda**
trial, s. (difficulty) **bɔlɔjí, mpási, komekama**
  (court) **kosámba**
tribe, s. **libóta, ekólo**
trick, vt. **-kosa, -jímbisa**
  s. **mayélɛ**
trickle, **-kɛla**
trifle, s. **mwa ɛlɔkɔ, ɛlɔlɔkɔ mɔkɛ**
trim, vt. **-bɔngisa, -pétɔla, -kɔmba**
trip, vi. **-béta libakú, -tâ libakú**
  vt. **-táisa libakú**
tripod, s. **lifika, bambola**
  (earthenware) **likénga**
trivet, s. **bambola, lifika**
triumph, s. **elónga**
  vi. **-lónga**
troop, s. **ebólo (na basodá)**
trouble, s. **bɔlɔjí, mikakatano, mpási, mobulu**
true, adj. **na sɔlɔ, sémbó**
trumpet, s. **mondúle**
trunk, s. (tree, body) **mobimbi**
  box **sandúku**
  cut tree **mɔkɔkɔ**
  elephant **bwembo**
trust, s. **kondima**
  vt. **-ndimela, -yambela**
truth, s. **sɔlɔ, sémbó**
try, s. **komeka**
  vt. **-meka**
tsetse, s. **lipokopóko**
tub, s. **malɔbɛ, báfu**
tube, s. **mongéndu**

tuck, s. **lisúsa**
  vt. **-súsa**
  tuck in **-kɔ́tisa káti**
Tuesday, s. **mɔkɔlɔ na míbalé**
tuft, s. **libimba, ebólo**
  (hair, feathers) **lisombá**
tug, vt. **-bénda**
tumble, vi. **-kwéya**
tumour, s. **ebimba**
tumult, s. **yíkíyiki, mobulu**
tune, s. **mongóngó, nkíngó, loyémbo.10**
turban, s. **lisukú**
turbulence, s. **lilángá**
  (mob of people) **yíkíyiki**
turn, s. **kobongwana**
  left turn **koleka epái na mwásí**
  right turn **koleka epái na mobáli**
  in turn **likelémba**
  vt. turn away **-jóngisa**
  turn back (fold) **-kúmba**
  turn face down **-kukisa**
  turn on (water...) **-kangola, -lekisa**
  turn out (lamp) **-jimisa**
  turn over **-balola, -bóngola, -jéngola, -kalambisa**
  turn round **-bóngola**
  turn up (lamp) **pelisa**
  vi. turn aside **-pɛngwa**
  turn away **-bwáka mɔkɔngɔ**
  turn back **-jónga**
  turn over **-bóngwana, -kalamba**
  turn round and round **-jilingana**
turtle, s. **njɛnjɛ**
tusk, s. **mpémbé**
tweezers, s. **efínyeli**
twelve, adj. **jómi na míbalé**
twenty, adj. **ntúkú míbalé**
twig, s. **etápe mɔké**
twin, s. **lipása.6**
twine, s. **nsinga, nkámba**
twist, vt. **-yɔ́tɔla, -minya**
two, adj. **míbalé**

U

ulcer, s. **mpótá**
  (in mouth) **lipopá**
umbrella, s. **mombuli, lɔngɛmbú**
unanimous, adj. **na mongóngó mɔ́kɔ́, na mɔnɔkɔ mɔ́kɔ́**

unaware, adj. **na koyéba té, na bɔsɔsɔli té**
unbelief, s. **ntembé**
unbind, vt. **-kangola, -jíngola**
uncertain, adj. **na ntembé**
uncircumcised, adj. **esute**
uncivilised, adj. **mosénji.2 (pejorative)**
uncle, s. (paternal) **tatá.2**
   (maternal) **nɔkɔ.2**
unclean, adj. **na mbíndo, na mpétɔ té**
unconscious, to become **-senjwa**
uncontrollable, adj. **wáyáwaya, óyo ajalí kongala**
uncooked, adj. **mobésu**
uncover, vt. **-jipola**
under, prep. **na nsé na**
underneath, adv. **na nsé**
underside, s. **nsé, libumu**
understand, vt. **-yéba ntína, -sɔsɔla**
undo, vt. **-fungola, -bákola, -jipola, -kangola**
undress, vt. **-longola bilambá**
unearth, vt. **-kundola**
unemployed person, s. **moto pasasi, somelé, moto**
                          óyo ajángí mosálá
unequal, adj. **motíndo mɔkɔ té**
   become unequal **-kɛsɛna (-kɛsɛnɛ)**
unfold, vt. **-kangola, -tanda**
unfortunate, adj. **-na makilá mabé**
ungodly, adj. **óyo akokanisa Njámbé té**
uniform, adj. **pelamɔkɔ, na motíndo mɔkɔ**
   s. (soldiers) **sokoto**
   to be uniformed **-kokana motíndo mɔkɔ**
uninhabited, adj. **na bato té**
   uninhabited village **mɔpɔtú**
unite, vt. **-bakisa, -sanganisa**
unjust, adj. **sémbó té**
unleash, vt. **-kangola**
unleavened, adj. **na mfulu té**
unload, vt. **-lubola**
unlock, vt. **-fungola**
unlucky, adj. **na makilá mabé**
unmoor, vt. **-sɛkɔla**
unpack, vt. **-kangola**
unprepared, adj. **óyo aselíngwí té**
unrighteous, adj. **na bɔyéngébéné té**
unripe, adj. **mogugu**
unroll, vt. **-púlola**
untie, vt. **-kangola**
until, prep. **kíno**
untruth, s. **lokutá.10**
unwell, adj. **na maláli**
   to be unwell **-bɛla, -kɔna**
unwind, vt. **-jíngola**

174

up, prep. **likoló na**
  adv. **na likoló**
  upstream **likoló**
  go up, vi. **-buta**
uphold, vt. **-súka**
upright, adj. **sémbó, na bɔyɛ́ngɛ́bɛ́nɛ́**
uproar, s. **yíkíyiki, makɛlélɛ**
uproot, vt. **-bikola (-pikola)**
upset, vt. **-jéngola, -kalambisa, -balola**
  (liquids) **-sopa**
  (emotionally) **-kakatanisa, -túmola**
upstream, s. **likoló**
  journey upstream **monano**
urinate, vi. **-súba**
urine, s. **masapu, masúba**
us, pron. **bísó**
use, s. **ntína, mosálá, esálélí**
  what's the use? **mosálá mpámba té?**
  vt. **-sála mosálá na...**
  (get used to) **-mesana (-mɛsɛna)**
  he's used to that job **amɛsání na mosálá yangó**
useful, adj. **óyo ɛbɔ́ngí na mosálá**
useless, adj. **mpámba, na mosálá té, óyo ɛbɔ́ngí**
                         na mosála té
  (Reduplicate the verb root to describe useless action:
    work for nothing **-sálasala**
    talk to no purpose **-lobaloba**
    wander aimlessly **-lekaleka)**
utterly, adv. **nyɛ́**

V

vacant, adj. **mpámba, na moto tó ɛlɔ́kɔ té**
vaccinate, vt. **-kátisa kokóto, -kátisa mángwɛlé**
vacillate, vi. **-téngatenga**
vain, adj. **mpámba, na ngambó**
  (words) **bilobaloba**
  (actions) **bisálásálá**
valiant, adj. **na moléndé**
valley, s. **libulú, lobwakú**
valour, s. **moléndé, mpíko, mpéndé**
value, s. **motúya**
vanity, s. **lipombó, ngambó, makambo mpámba**
vegetable, s. (gen) **ndúnda**
vehicle, s. (car) **mótuka, fwátili**
  (chariot) **likalo**
  (lorry) **kaminyɔ**

vein, s. **mosisa**
  (of palm leaf) **lobánjí**
venerate, vt. **-kúmisa, -memisa**
vengeance, s. **kobukanisa**
venom, s. (snake) **ngenge**
verandah, s. **balasáni**
verdict, s. **ekáteli**
verify, vt. **-meka ntína na, -yéba sɔ́kɔ́ ejalí sɔlɔ́**
verse, s. **eténi**
vertical, adj. **tíí**
  be vertical **-télema tíí**
very, adj. **míngi be**
vessel, s. (container) **etíyelo**
  (earthenware) **mbéki**
  (boat) **masua**
  (blood-vessel) **mosisa**
vest, s. **mopíla, ndenda (denda)**
vex, vt. **-túmola**
vibrate, vi. **-ningana**
victim, s. **moboma.2**
victory, s. **elónga**
vigilance, s. **kokéba, kokéngela**
vigour, s. **nguyá, makási**
village, s. **mbóka**
  abandoned village **mɔpɔtú**
  site for new village **libonga**
villager, s. **moto.2 na mbóka**
villain, s. **moto mabé, moto na yaúlí**
villainy, s. **yaúlí**
vine, s. (gen) **nkámba**
  (grape) **mowíti**
vinegar, s. **mái na ngaingai**
vineyard, s. **elanga na miwíti**
violate, vt. (law) **-sopa mobéko**
violent, adj. **na kongala, na yaúlí**
violin, s. **njenjé**
viper, s. **etúpá**
virgin, s. **moseka, mwásí óyo alálí na mobáli té,**
                  mobáli óyo alálí na mwásí té
visible, adj. **polélé, óyo emɔnání**
  become visible **-mɔnana**
vision, s. (sight) **kɔmɔna**
  (dream) **emɔnɔneli**
visit, vt. **-kenda mbóka na, -kenda kotála**
visitor, s. **mopaya.2**
vivacious, adj. **na bɔmɔi míngi**
voice, s. **mongóngó**
volley, s. **jô**
vomit, vt. **-sánja**
vow, s. **ndáí**
  make a vow **-simba ndáí, -káta ndáí**

voyage, s. **mobémbo**
  in canoe **molúka**
  up-stream **monano**
  down-stream **motíyo**
vulture, s. **engondo**
vulva, s. **libɔlɔ́**

W

wad, s. **linuka**
waddle, vi. **-támbola ngánjálánganjala**
wade, vi. **-támbola na makolo káti na mái**
wag, vt. **-ninga, -ninganisa**
  vi. **-ningana**
wager, s. **móndengé**
  vi. **-káta móndengé**
wages, s.pl. **lifútí, mbɔ́ngɔ, sánjá**
waggon, s. **likalo**
wail, vi. **-lela**
waist, s. **lokéto**
waist-cloth, s. **lipopela**
wait, vi. **-jila, -lambela**
walk, vi. **-támbola na makolo**
  walk about **-támbolatambola**
wall, s. **etutú**
wander, vi. **-támbolatambola**
  (lost) **-lémalema**
want, vt. (desire) **-linga**
  (lack) **-jánga, -senga**
war, s. **etumba**
ward, s. (hospital) **eténi, ndáko**
  (young person) **mɔkéngɛlami.2**
  ward off, vt. **-pɛngwisa**
wardrobe, s. **motáláká, malomálo**
warehouse, s. **ebómbelo, sitówa, magasíni**
warm, adj. **na mwá mɔ́tɔ**
warn, vt. **-kébisa**
warp, vi. **-yɔngɔtana, -béndana**
wart, s. **lípíka**
wary, adj. **na kokéba**
  be wary, vi. **-sála ángɛlɛ**
wash, vi./vt. **-sukola**
waste, vt. **-bébisa, -sílisa mpámba**
  waste away, vi. **-kɔ́nda**
watch, s. (duty) **kɔkéngɛla**
  (time-piece) **sáa, likánga**
  vt. **-kéngɛla, -sénjɛla**

water, s. **mái**
  high water **mpela**
  low water **ngangé**
  vt. (plants) **-sopela...mái**
  (sprinkle) **-mwangisa mái**
water-cooler, s. **lilokó, móngólo**
water-fall, s. **bweta**
water hyacinth *(Eichhornia)*, s. **kóngo na sika**
wave, s. **mbɔ́ngɛ, múla** (pl. **miúla**), **ekúmbake**
  (thrown up by prow of canoe) **elóló**
  vt. (hand) **-pɛpa (lɔbɔ́kɔ)**
way, s. (road) **njelá, elekelo**
  (manner) **motíndo, ejalélí**
  (Use the verb suffix -EL- and final -í
    manner of working **esálélí**
    way of walking **etámbwélí**
    way of speaking **elobélí**
    way of cleaning **ɛpétwélí**
wayside, s. **pɛmbéni na njelá**
we, pron. **bísó**
weak, adj. **pɛtɛpɛtɛ, na bɔlɛmbú**
weal, s. **lipípí**
wealth, s. **bojui, misɔlɔ míngi**
wean, vt. **-kilisa mabélɛ**
weapon, s. **ebuneli, ebundeli**
wear, vt. (clothes) **-láta**
  wear out, vt. **-sílisa nguyá na, -bébisa**
weariness, s. **kɔlɛmba, pii, (mpii)**
weary, adj. **na bɔlɛmbu, koyóka pii**
weave, vt. **-tónga (-tonga)**
weaver-bird, s. **mɔlɛkɛ.10**
web, s. (spider) **nkombe**
wed, vi. **-bálana, -lóngana, -kwélana**
wedding, s. **libála, makwéla, bolóngani**
Wednesday, s. **mɔkɔlɔ na mísáto**
weed, s. **litíti mabé**
week, s. **yenga (eyenga), pɔ́sɔ**
weep, vi. **-lela mpísoli**
weigh, vt. **-tíya na kiló, -meka kiló, -píma bojito**
weight, s. **bojito, kiló**
welcome, s. **koyamba, konyángela**
  vt. **-yamba, -nyángela**
well, adv. **malámu**
  adj. (in good health) **na njóto makási**
  s. **etóko, lijiba**
wet, adj. **na mái, na kɔpɔla**
  vt. **-pɔlisa**
  get wet, vi. **-pɔla**
whale-boat, s. **ebeí**

what, pron. **níni**
  what's the matter? **likambo níni?**
  what's your name? **nkómbó na yɔ̌ nání?**
  what's the price? **motúya bóní?**
wheel, s. **yika**
  paddle-wheel **pakapáka**
wheel-barrow, s. **likalo**
when, adv. **ntángo níni, elaká bóní**
 conj. (use the relative construction with prefix e-:
   when he comes **ekoyâ yé**
   when I saw **ɛmɔ́nákí ngáí...**)
whenever, adv. **ntángo níni**
where, adv. **wápi, epái wápi, esíká níni**
whet, vt. **-séba**
whether, conj. **sɔ́kɔ́**
which, adj. (thing) **níni**
  (person) **nání**
  (place) **wápi**
  (manner) **bóní**
  pron. **óyo**
  (For the relative pronoun, use concording prefixes
   with the inverted form of the verb:
   the books which I read **mikandá mitángí ngáí**
   the eggs which Mother bought **makeí**
               masómbí Mama
while, prep. **ntángo**
  (Use the relative construction with verb prefix e-:
   While I was reading **Ejalákí ngáí kotánga...**
   While he sings **Ejalí yé koyémba...**)
whine, vi. **-lela**
whip, s. **mpímbo (pímbo, fímbo)**
  vt. **-béta mpímbo**
whirl, vi. **-jílingana, -timba**
whirlpool, s. **litimba**
whirlwind, s. **monjili**
whisper, vi. **-loba na mpwépwɛ**
  s. **mpwépwɛ**
whistle, s. (boat) **loseba, mokwango**
  (pipe for music) **polólo**
  (lips) **mongóngókólí**
  vi. **-béta mongóngókólí**
white, adj. **mpémbé, pɛɛ**
  skin of European **motáné**
  s. **mɔndélé (pl. bamindélé, mindélé)**
whiteness, s. **mpémbé, pɛɛ**
who, pron. **nání.2**
whole, adj./s. **mobimba**
why, adv./conj. **mpɔ̌ níni, ntína níni**
wick, s. **elambá na mwínda**
wicked, adj. **na mabé, na masúmu**
wicker, s. **nkékélé**

wide, adj. mɔnénɛ.2
widow, s. mwásí akúfélí mobáli
widower, s. mobáli akúfélí mwásí
width, s. mɔnénɛ, libale
wife, s. mwásí.2
  my husband's other wife mbanda na ngáí
wild, adj. (animals) na yaúlí, na jámba
  (people) na kongala
  (plants) na jámba
wilderness, s. (desert) lisóbé (esóbé)
  (forest) jámba
wilful, adj. na nko, na lómá
will, s. mokáno
  vt. -kána
willing, to be vi. -ndima
wily, adj. na mayɛ́lɛ mabé
win, vt. -jua
  (game, battle) -lónga, -leka
wind, s. mɔpɛpɛ
  (from bowels) mokinja
  (break wind) -sumba mokinja
window, s. lininísa
wine, s. (palm) masanga
  (European) vínyo
wing, s. lipapú
wink, vi. -bwɛta líso
winnow, vt. -pupa
wipe, vt. -pangusa, -kɔ́mba
  (blackboard) -panja
wire, s. nsinga
wisdom, s. mayɛ́lɛ, boyébi, bɔsɔsɔli
wise, adj. na mayɛ́lɛ, na boyébi
wish, s. mpósá
  vi. -yóka mpósá, -linga
witch, s. mɔlɔki.2, moto na ndɔki
witchcraft, s. ndɔki, bɔlɔki, likundú (líkundú)
witchdoctor, s. nganga.2
with, prep. na, na…ɛlɔngó
withdraw, vt. -longola
  vi. -mílongola, -tíka
  (stand down) -sála lisúsu tɛ́
wither, vi. -kaoka
within, adv. na káti
without, prep. na…tɛ́, kojánga
  (outside) libándá
withstand, vt. -témela, -télɛmela
witness, s. motatoli.2
  (evidence) litatólí
  vi. -tatola
wizard, s. moto na ndɔki
wobble, vi. -téngatenga, -bilingana

woe, s. **bɔlɔ́jí, mawa**
woman, s. **mwásí.2**
  sterile woman **ekómba**
womb, s. **libumu**
wonder, vi. **-kamwa**
  s. **likambo na kokamwa, ekamwiseli**
wood, s. **njeté, libáyá**
  firewood **lokóni.10 (nkóni)**
  kindling **nkanju**
  for steamers **mɔsénjú**
  made of wood **etóngámí na njeté**
wool, s. **nkunja na mpaté**
word, s. **liloba**
  send word **-tínda mɔnɔkɔ**
  vain words **bilobaloba**
work, s. **mosálá**
  duty **lotómo.10**
  communal work **sáalóngo (sâlóngo)**
  vi. **-sála**
worker, s. **mosáli.2, mongámbá.2**
workshop, s. **esálelo, tálie**
world, s. **mokili, nsé**
worm, s. **loambo.10 (mpambo), mɔsɔpí.10**
  intestinal worm **nyama, nsɛsɛ (sɛsɛ)**
worn, adj. **óyo ebébí na mosálá**
  be worn out **-béba, -pítana, -kúfa**
  be worn (clothes) **óyo elátísámí**
worry, vi. **-kakatana, -mítungisa, -jala na motéma likoló**
  vt. **-tungisa, -túmola, -yéisa motéma likoló**
worship, vt. **-sanjola, -sámbela**
worth, s. **motúya**
  be worth **-kwéya motúya, -koka**
worthless, adj. **mpámba**
worthwhile, adj. **óyo ekoyéisa litómbá**
worthy, adj. **óyo ɛbóngí, ekokí**
wound, s. **mpótá**
  vt. **-jókisa**
  be wounded **-jóka**
wrangle, vi. **-swána**
wrap, vt. **-jínga, -jíngela, -kanga**
wrath, s. **nkanda, nkɛle**
wrestle, vi. **-buna líbanda**
wrestling, s. **líbanda**
wring, vt. (clothes) **-kamola**
wrinkle, s. **liyútá, lisúsa**
  become wrinkled **-yúta**
wrist, s. **nkíngó na lɔbɔ́kɔ**
write, vt. **-koma, -sɔ́na**
writing, s. **likomí, lisɔ́ní**

wrong, adj. **mabé, na libúngá**
 s. **mabé, lisúmu**
 be wrong, vi. **-koka té**
 go wrong, vi. **-béba**

Y

yam, s. **mbomá, liyíká, lisábá**
yard, s. (courtyard) **libándá, lopango.6**
yawn, s. **liasasé (lisasé)**
 vi. **-tâ liasasé**
year, s. **mbúla, elanga, mobú**
yeast, s. **mfulu, mamá na mápa, nkísi na mápa**
yell, vi. **-nganga makási**
yellow, adj. **moóndó, motáné**
 go yellow (fruit) **-tela**
yes, adv. **ɛɛ**
 (answer to negative question) **té**
yesterday, s. **lóbí (elekí), mɔkɔlɔ na lobí**
yet, conj. **kási, ndé**
 adv. **naíno**
 not yet **naíno té**
yield, vi. (produce) **-bóta, -bimisa**
 (surrender) **-tíka, -ndima**
yoke, s. **ekanganeli, likambá**
 yoke of oxen **bangɔ́mbɛ bakangámí ɛlɔngɔ́**
you, pron. sing **yɔ́**
 plur. **bínó**
 you and I **bísó na yɔ́**
 you (plur.) and I **bísó na bínó**
 you (sing) and he **bínó na yé**
young, adj. (person) **ɛlɛngé, monjéngá**
 (things) **na bilanga té**
younger brother (sister) **molimi**
your, adj. **na yɔ́, na bínó**
youth, s. (person) **ɛlɛngé**
 (age) **bɔlɛngé**

Z

zeal, s. **etíngyá (etíngíá), mpíko**
zero, s. **jeló, ɛlɔ́kɔ té**
zigzag, s./adj. **nyɔ́kanyɔ́ka**

A

áfiɔ, s. **aeroplane**
ajenu, s. **low stool, hassock**
alima (álima), **straight, true**
ananási, s. **pine-apple**
-ángana, vi./vt. **deny**
ángɛlɛ, -sála ángɛlɛ, **be prudent, act prudently**
-ángola, vt. **decant, pour**
átâ, conj. **even though**
avóka (afóka), s. **1. advocate**
    2. avocado pear
-fúta avóka **bribe, corrupt**
áwa, adv./conj. **here, in this place, seeing that, because**

B

-babola (-bambola), vt. **light up, inflame, kindle**
báfu, s. **bath, tub**
-bákisa, vt. **attach, stick to**
-bákisama, vi. **adhere to**
-bákola, vt. **detach, separate off**
-bála, vt. **marry (of husband)**
-bálana, vi. **marry (of wife)**
-bálisa, vt. **marry (of parents or minister)**
balabála, s. **high-way, road**
balasáni, s. **verandah**
-balola, vt. **turnover, reverse**
balúti, s. **gun-powder**
-bamba, vt. **repair, mend, patch**
-bambola (-babola), vt. **light up, inflame, kindle**
-bámbola, vt.
    -bámbola mbata **slap on face**
bambola, s. **brazier, portable fireplace**
bándá, adv. **beginning with, since from (time)**
bánda, vi. **begin, commence**
-banda, vt. **1. give an electric shock to**
    2. become engaged to, be married to
-bánga, vt. **fear, be afraid**
bángi, s. **cannabis, hashish, hemp (smoking)**
-bángisa, vt. **frighten**
bangó, pron. **they, them**
-bánja, vt. **think**
-bánjabanja, vi. **meditate**
-baola (-balola), vt. **turn over, reverse**
-bátela, vt. **guard, keep, protect**

-bátisa, vt. **baptize**
-béba, vi. **spoil, go bad**
-bébisa, vt. **spoil, destroy, corrupt**
bébó, bébóbébó, adv. **all over the place, upside down,**
in a mess
-béela, vi. **cry, shout**
-béelela, vt. **cry to, shout for**
-béka, vt. **buy on credit, borrow**
-békisa, vt. **sell on credit, lend**
-béla, vi. **be well cooked, ready for eating**
-bénda (-benda), vt. **pull**
-béndana, vi. **shrink, pull together**
-bénga, (-bianga), vt. **call, invite, name**
-benga, vt. **hunt, chase after**
-bétwa, vi. **wake up, rise again, be resuscitated**
-bétola, vt. **resuscitate, revive**
bɛ (bɛɛ), adv. **very much**
malámu bɛ **very good**
-bɛla, vi. **fall ill, be ill**
-bɛlɛma, vi. **approach, come near**
-bɛlɛmisa, vt. **bring near**
bɛndélɛ (bɛndéla), s. **flag, banner**
-béta, vt. **strike, hit, play (a musical instrument)**
-béta mái **swim**
-béta mondóki **shoot (a gun)**
-béta ntembe **doubt**
bíanga (-bénga), vt. **call, invite, name**
bibendé, s. pl. **coins, money, change**
biblia, s. **bible**
-bíka, vi. **recover from illness, get better, live**
-bíkisa, vt. **heal, save, rescue**
-bikola, vt. **pull up, pull out of ground, uproot**
-bila, vt. **follow**
biláto, s. **shoes**
biléí, s. **food, eatables**
bilíki (lobilíki), s.10 **brick**
-bilingana, vt. **stagger, reel**
biló, s. **office, bureau**
bilobaloba (bilobáloba), s. **prattle, nonsense**
bilolo, s. **bitter leaves**
bilɔ́kɔ, s.pl. **things, objects, food**
bilɔ́kɔ na koliya **food**
bilúlela, s. **envy, jealousy**
-bima, vi. **go out, come out**
-bimba, vi. **swell up**
bimɛlí, s. **drink**
-bina, vi. **dance**
bínó, pron. **you (pl.)**
bisálásálá, s. **useless work, purposeless activity**
-bísa, vt. **anoint, smear**
bisako, s.pl. **greetings, salutations**

bísó, pron. **we, us**
bobina, s. **dance, dancing**
bobóla, s. **poverty**
bobóto, s. **kindness, grace**
bojángi, s. **lack, need, scarcity**
bojindo, s. **depth**
bojitó (bojito), s. **weight, gravity**
bojóba, s. **folly**
bojui, s. **wealth, riches, possessions**
-boka, vt. **fill up a hole**
bokiló, s. **parent-in-law, relation through marriage**
bokonji, s. **kingdom, chiefdom, rule, authority**
bokosi, s. **deception, hypocrisy**
-bola, vt. **hit, destroy**
bolá matále **H.M. Stanley, colonial government, state**
bolámu, s. **goodness, beauty**
bolángá, s. **drunkenness**
bolangíti (molangíti), s. **blanket**
boléma, s. **eccentricity, erratic nature, foolishness**
bolingo, s. **love, friendship**
bololo, s. **bitterness**
bolóngani, s. **marriage**
bolúmbú, s. **nudity**
-boma, vt. **kill, destroy**
-bómba, vt. **hide, put by, save**
bombanda, s. **woman's position in polygamy**
bomekani, s. **competition**
bomoto, s. **humanity, human nature**
bonané (bɔnané), s. **New Year's Day**
  interj. **Happy New Year!**
bondeko, s. **brotherhood, friendship**
bondóki (mondóki, bundúki), s. **gun**
bôngó, adv. **thus, so, yes**
-bongola, vt. **turn, change, translate**
-bongola motéma **change one's mind, repent**
-bongwana, vi. **turn over, change**
bóní, adv. **how?, what?, how many?, how much?**
bonjéngá, s. **youthful beauty, prettiness**
boombo, s. **slavery**
-bósana, vt. **forget**
bosémbó, s. **straightness, rectitude, truth**
bosenga, s. **necessity, need**
bosíngá, s. **epilepsy**
-bóta, vt. **give birth to**
-bótama, vi. **be born**
botáí, s. **hunting with nets**
-bótisa, vt. **delivery (baby)**
-bóya, vt. **reject, refuse**
boye, adv. **so, thus, therefore**
boyébi, s. **knowledge, wisdom**
boyókani, s. **agreement, understanding, reconciliation**

bɔbélɛ́, adv. **only, once and for all**

-bɔkɔla, vt. **bring up (child), rear (child, animal)**

bɔkɔnɔ, s. **illness, disease**

bɔlɛmbú, s. **softness, ease, feebleness, indolence**

bɔlɛngé, s. **youth, adolescence**

bɔlɔ́jí, s. **pain, trouble, persecution**

bɔlɔ́kɔ, s. **prison, gaol**

bɔmɛngɔ, s. **happiness, joy, riches**

bɔ́mɔí, s. **life**

bɔnané (bonané), s. **New Year's Day,**
   interj. **Happy New Year!**

-bɔ́nda (bɔ́ndisa), vt. **comfort, console**

-bɔ́ndɛla, vt./vi. **pray, implore**

-bɔ́nga, vi. **be ready, be right, suit**

-bɔ́ngisa, vt. **arrange, prepare, make suitable, get ready**

bɔngɔ́, s. **brain**

bɔpɔlɔ, s. **humility, docility**

bɔsɔ́mi (bɔnsɔ́mi), s. **liberty, freedom as opposed**
                                                    to slavery

bɔsɔtɔ, s. **filth, dirt, rubbish**

-bɔtɔla, vt. **seize, carry off**

bɔyɛ́ngébéné, s. **justice, righteousness**

-búba, vt. **deceive, overcome (in an argument)**

-búka, vt. **break, overpower, defeat**

-búkana, vi. **be broken, be defeated**

-búkanisa, vt. **avenge, take revenge**

búku, s. **book, volume**

-bulama, vi. **be dedicated for, put on one side**

bulɛɛ, adj. **sacred, devoted for a cause**

-bulisa, vt. **devote, dedicate**

búlúbulu, adv. **disorderly**

-buluka, vt. **fold**

-bulungana, vi. **get muddled, confused,**
                                                    become complicated

-bulunganisa, vt. **muddle, confuse**

-búmɛla, vt. **embrace, hug**

-buna, vt. **fight, combat**

-bunana, vi. **fight**

-bunda, vt. **fight**

-búnga, vt. **forget, omit, lose,**
   vi. **get lost, make mistake**

-búngana, vi. **be lost**

-búngisa, vt. **lose**

búsi, s. **sewing cotton, thread**

búsúbusu (wúsúwusu), adj. **delapidated, shabby**

-buta, vt. **climb, mount**

-butisa, vt. **elevate, put up (e.g. prices)**

butú, s. **night**

butúbutú, s. **late at night**

-butwa, vi. **come back, return**

-butwisa, vt. **bring back**

-bwáka, vt. **throw**
bwále, s. **pain**
bwáto, s.6 **canoe**
bwembo, s. **elephant's trunk**
bwéta, s. **waterfall, rapids**
-bwɛta, vt. (líso) **blink (eye), wink**

C

chái, s. **tea**

D

-défa, vt. **borrow, buy on credit**
-défisa, vt. **lend, sell on credit, advance money**
-denda, vi. **swing the body, waddle**
dɛnda (ndɛnda), s. **vest, pull-over**

E

ebákátá na.... s. **enormous (person or thing)**
ebalé, s. **river, wide stream**
ebándeli, s. **beginning**
ebándelo, s. **origin**
ebatá, s. **baldness**
ebeí, s. **barge, whale-boat**
ebébé (ebéebé), s. **idiot, madman**
ebelé, s. **crowd**
ebembe, s. **corpse**
    ebembe na Sóngóló **the late so-and-so**
ebendé, s. **metal, iron**
    bibendé, s. **coins, change**
ebengá, s. **pigeon, dove**
ebimba (libimba), s. **packet, bunch**
ebimelo, s. **exit, coming out**
eboka, s. **mortar (for pounding)**
ebólo, s. **packet, group of people, things**
ebómbá, s. **lid, cover**
ebómbelo, s. **shelter, refuge, safe (money), hiding-place**
ebóngá, s. **small stool**

ebóto, s. **member of family, kinsman, gratitude**
  interj. **"thank you"!**
ebúbú, s. **deaf-mute**
ebuki na... s. **enormous (thing)**
ebutelo, s. **ladder, stairs, step**
ebutu, s. **deaf-mute**
ebwákelo, s. **rubbish-tip**
efandelo, s. **seat, bench, resting place, house**
ejalélí, s. **manner, character, custom**
ejalelo, s. **site, place, lodging**
ejipo, s. **lid, cover**
ejipweli (ejitweli), s. **tin-opener, cork screw**
ejónga, s. **snag (under water)**
ekábá, s. **small fish (spp.)**
ekalingelo, s. **frying-pan**
ekamelo, s. **press (fruit, oil)**
ekamwiseli, s. **miracle, marvel**
ekanganeli, s. **yoke**
ekangeli, s. **link, hook, latch**
  ekangeli na mái **water-tap**
ekangelo, s. **cage, prison, stocks**
ekango, s. **bunch of fruit**
ekáteli, s. **decision, judgment, law**
ekeko, s. **statuette, idol**
ekembe (likembe), s. **musical instrument with metal**
                           or cane strips, hand-piano
ekila (ngila), s.8/10 **taboo, prohibited food**
ekilí, s. **razor**
ekímá, s. **messenger sent to call someone**
ekípi, s. **team**
ekiteli, s. **slope, descent**
ekóbo, s. **adultery**
ekoko, s. **stick used to beat rhythm in canoe**
ekokó, s. **floating weeds**
ekókókóló, s. **hard shell (tortoise), cover of book**
ekólo, s. **clan, tribe**
ekomba, s. **childless woman**
ekómba, s. **cushion, pillow**
ekomeli, s. **stylus, pen, writing instrument**
ekomélí, s. **signature, style of writing**
ekonjo, s. **avarice, miserliness**
ekótó, s. **animal skin, leather**
ekuké, s. **door, gate**
ekulúsu, s. **cross**
ekúmbake, s. **wave (water)**
ekumu, s. **tree-stump**
ekutu, s. **calabash, pipe made from a calabash**
ekwéli, s. **fault, condemnation**
ekwélo, s. **fault, guilt**
elaká (ndaká), s.8/10 **promise, agreed time**
elakiseli, s. **precept, example**

elálo (kilálo), s. **bridge**
elambá, s. **garment, cloth, sheet**
elámbo, s. **feast**
   elámbo na Nkóló **communion service**
elanga, s. **field, garden, dry season, year**
elánga, s. **spp. of biting fly**
elefo, s. **small bell**
elémá, s. **fool, idiot, mad-man**
elembo, s. **sign, symbol, emblem, body-member**
elíkíá (elíkyá), s. **hope**
elílíngi, s. **reflection, image, shade, picture**
elobélí, s. **diction, way of speaking, accent, voice**
elokó (lilokó), s. **pot for cooling water**
elolé, s. **beard**
elóló, s. **water thrown up by prow of canoe**
elombe, s. **giant, champion**
elónga, s. **1. victory, acquittal (court case)**
   2. hunting trap
elongi, s. **face, forehead**
   -kanga elongi **frown**
elongo, s. **elephant trap with falling spear**
elóngo, s. **basket**
elónja, s. **metal gong, small metal bell**
elúlela, s. **covetousness, envy**
elúmbú, s. **albino**
emekeli, s. **competition, race**
emekelo, s. **example, model**
emimi, s. **mute, dumb person**
endimandima (endimándima), s. **superstition,**
                             false belief
endimaneli, s. **covenant, pact, agreement**
endimeli, s. **belief**
epái, s. **side, place, district**
   epái na epái **everywhere, on all sides**
   epái wápi? **where?**
epaso (epapo), s. **splinter, sliver**
epáté (lipáté), s. **touch, tick or tag at a game**
epelelo, s. **flame**
epimeli, s. **weight, measure**
epopeli, s. **scoop for baling water out of canoe**
eposá, s. **opportunity**
epunja, s. **end of elephant's tail, fly switch made of this,**
                         female maize flowers
esámbelo, s. **chapel, church, sanctuary**
esámbiselo, s. **court (judgement)**
esanelo, s. **sports-field, arena**
esanga, s. **island**
esé, s. **country**
eséndé, s. **squirrel**
esengeli, s. **need, lack**
esésé, s. **leaf with rough surface, sand-paper**

191

esíí, adv. **far away**
esíká, s. **place, site, position**
esío, s. **cold season**
esóbé (lisóbé), s. **grassy plain in forest, deserted place,**
desert
esóngó, s. **clitoris**
esúkeli, s. **support**
esukoli, s. **washing-mop, swab**
esukwelo, s. **wash-basin, bowl**
esúlungútu, s. **owl**
esungi, s. **fire-brand, torch**
esute, s. **uncircumcised man**
etabe, s. **banana (sweet)**
etáláká, s. **bridge of trunks or planks**
etáliseli, s. **example, model**
etálo, s. **spectators**
etámbólí (etámbwélí), s. **manner of walking, gait**
etánda, s. **bridge, bench, plank**
etándo, s. **surface**
etánga, s. **twig, sprig, plant shoot**
etangé, s. **drying-place (for fish etc.)**
etápe, s. **branch of tree, plant**
éte, conj. **that, so that, namely**
eténatɔlu, s. **praying mantis**
eténi, s. **part, piece, room of house, verse of scripture**
etíke, s. **orphan**
etíma, s. **pond**
etína, s. **roll of cloth**
etínda, s. **errand, mission**
etíngíá (etíngyá), s. **zeal, perseverance**
etóka, s. **round cake of manioc**
etóko, s. **well, spring of water**
etubeli (ɛtɔbɛli), s. **drill, drill-bit**
etumba, s. **battle, war**
etumbelo, s. **altar, stove**
etúmbu, s. **punishment**
  -pésa etúmbu, **correct, punish**
etúneli, s. **question**
etúpá, s. **viper, spitting cobra**
etutú, s. **wall**
eútelo, s. **origin**
ewéli, s. **quarrel, dispute**
eyambáyamba, s. **superstition**
eyánganelo, s. **meeting-place, hall**
eyano, s. **reply, response**
eyenda, s. **rudder**
eyenga (yenga), s. **holiday, Sunday, week**
eyóngo, s. **large fish-hook**

192

Ɛ

έ, int. **O, Oh!**
ɛbɛbɛlɛ, s. **skull**
ɛbɛbu, s. **lip**
ɛbɛlɔ (ɛbɛlɛ), s. **thigh**
ɛbɔsɔnɔ, s. **lame person**
ɛbɔtu, s. **fist**
ɛbwɛlɛ, s. **domestic animal**
ɛɛ, adv. 1. **yes, that's so,**
   2. **no (in answer to a negative question)**
ɛkɔlɔ́, s. **basket**
ɛkɔmu, s. **beak of bird**
ɛkɔti, s. **hat, cap**
ɛlɛngɛ, s. **youthful person (boy or girl)**
ɛlɛngi, s. **sweetness**
ɛlɔ́kɔ, s. **thing, object**
   ɛlɔ́kɔ tɛ **nothing**
ɛlɔ́lɔkɔ, s. **little thing, trifle**
ɛlɔngɔ́, adv. **together**
ɛmɛkú, s. **chin**
ɛmɔ́nɔnɛli, s. **vision, marvel**
ɛngɔndɔ́, s. **vulture**
ɛngwɛlɛ, s. **short cake of manioc**
ɛpɔpú (ɛpɔtú), s. **rag, raggy garment**
ɛsɛmɛlɔ, s. **landing stage, port**
ɛsɛngɔ, s. **joy, happiness**
   bisɛngɔ, s.pl. **pleasures**
ɛtɛbú (lɔtɛbú) **razor**
ɛtémɛlɔ, s. 1. **stand, pedestal, base**
   2. **halting-place, stage**
ɛtɔbɛli (etubeli), s. **drill, drill-bit**
ɛtɔ́nga, s. **flock, herd, troop of animals**

F

-fanda (-fánda), vi. **sit down, rest**
-fandisa (-fándisa), vt. **make to sit down, place,**
                                           establish
fatáki, s. **gun**
fɛlɛlɛ (fɔlɔlɔ), s. **flower**
félɔ, s. **iron (for clothes)**
fímbo (mpímbo), s. **whip**
   -béta fímbo **whip, lash**
-fínga, vt. **curse**
-fínya, vt. **grind, pinch**

fíto, s. **lath**
fɔfɔlɔ, s. **fire-stick, match**
fɔlɔlɔ (fɛlɛlɛ), s. **flower**
fɔ́tɔ, s. **photograph**
fufú (mfufú), s. **flour**
-fúka, vi. **budge**
   fúká té! **don't budge!**
-fulisa, vt. **multiply, increase numbers**
-fuluka, vi. **become numerous, increase**
-fumbuka, vi. **jump**
fúnda, vt. **1. accuse**
   2. act disorderly
-funga, vt. **lock, close tightly**
-fungola, vt. **open (e.g. locked door, box etc.)**
fungóla (lofungóla), s. **lock, key**
-fungwa, vi. **be open, come open**
-fúta, vt. **pay, reward**
fwáa, adv. **suddenly**
   -leka fwáa **pass by at speed**
fwatíli, s. **car**

G

gbagba, s. **bridge**
-gbɔma, vi. **bark (dog)**
gɔigɔ́i, s. **laziness, cowardice, tiredness**
-gúmba (-kúmba), vt. **1. bend, fold**
   2. carry on back or shoulders
-gúmbama (-kúmbama), vi. **stoop, bow**

H

héma, s. **tent, canvas, tarpaulin**

I

ifô, v.aux. **must, be necessary**
   ifô tɔ́kenda **we must go**
-íma, vi. **be miserly, avaricious**
-imaima, vi. **grumble, complain**
-ína, (-yína), vt. **immerse in water, dip, sink**

-íngela, vi. **enter, go in**
-íngisa, vt. **introduce, put in**

J

jabólo, s. **devil, satan**
-jala, vi. **be, exist, live, inhabit**
-jalisa, vt. **create, establish**
jámba, s. **forest**
  akeí na jámba **he has gone to the toilet**
jambí, conj. **because, for**
jándo, s. **market**
-jánga, vi/vt. **be in need, lack, be lacking**
jei, s. **smell of fish**
jéka, s. **obstacle, obstruction**
jeké (njeké), s. **gaming die, luck**
jelo, s. **circle, sphere**
jémi, s. **pregnancy, foetus**
  -jua jéma **become pregnant**
  sopa jémi **abort**
-jéngola, vt. **turn, turn over**
jɛ́ki, s. **jack, pulley-lock**
jɛlɔ, s. **sand, sand-bank**
-jɛmajɛma, vi. **hesitate, stagger, waver**
-jénga, vt. **cut off, chop**
-jíka, vi. **burn, scorch**
-jikisa, vt. **burn, consume by fire**
-jila, vt./vi. **wait for, wait**
-jílingana, vi. **turn round and round, eddy, swirl**
-jima, -jimana, vi. **go out (fire), be extinguished**
-jimisa, vt. **put out, extinguish**
-jimba, -jimbisa, vt. **deceive, trick**
-jinda, (-linda), vi. **sink, go under**
-jindisa, vt. **push under water, immerse**
-jínga, -jíngisa, vt. **put round, wind round**
-jíngela, vt. **go round, surround**
-jíngola, vt. **unwind**
-jipa, vt. **shut, close**
-jipola, vt. **open**
-jipwa, vi. **come open, be open**
jô, s. **salvo**
jóba, s. **idiot, fool**
-joka, vi. **get wounded, be wounded**
-jokisa, vt. **wound**
jólo, s. **nose, muzzle**
  -kóma jólo likolo **be toffee-nosed**
jómi, adj. **ten**

-jónga, vi. **go back, return**
-jóngela, vt. **go back to...**
-jóngisa, vt. **send back, return, give back**
-jóngisa mɔnɔkɔ, **reply**
júa, s. **envy, hatred, jealousy**
-jua (-jwa), vt. **gain, get, receive, find**
-juana, vi. **meet**
-juisa, vt. **give, infect**
jubu, s./adv. **noise of a plunge**
júji, s. **judge**
julunálo, s. **newspaper, magazine**
júmbu, s. **bird's nest**
-jwa (-jua), vt. **gain, get, receive, find**

K

ka, cond. part. **so, then, therefore**
-kaba, vt. **divide up, betray**
-kabana, vi. **give one to another**
-kabela, vt. **share with....**
kabíne, s. **W.C.**
-kabola, vt. **divide, distribute**
-kabwana, vi. **separate off from, be different from**
káka, adv. **only**
-kakatana, vi. **be perplexed, puzzled, confused**
-kakatanisa, vt. **confuse, embarrass, perplex**
-kákema, vi. **be hung up, suspended, stuck**
                                    (e.g. bone in throat)
-kákisa, vt. **suspend, hang up**
-kákola, vt. **pull apart, separate, unstick**
kala, adv. **long ago, time past**
kalakala, adv. **very long ago**
-kalambisa, vt. **turn over, upside down**
kalási (kelási), s. **school, class**
kaláta, s. **card, playing-card**
kalee, adv. **flat (on back)**
   -kwéya kalee **fall flat on back**
-kalema, vi. **lie on back**
-kalinga, vt. **fry**
kalo, s. **tile**
-kamata, vt. **take, seize**
-kamatana, vi. **accompany one another on road**
kaméla, s. **camel**
-kámba, vi. **be in difficulty, in trouble, be punished**
-kámbisa, vt. **punish**
-kamba, vt. **lead, conduct**
kambili, s. **refined palm-oil**
kaminyɔ, s. **lorry**

-kámola, vt. **press, twist, strangle**
-kamwa, vi. **be surprised, amazed**
-kamwisa, vt. **surprise, amaze**
-kána, vi. **will, purpose, determine**
-kanda, vt. **tan (leather)**
-kánela, vt. **menace**
-kanga, vt. **tie up, enclose, arrest, seize**
-kangama, vi. **be captured, arrested, tied up**
-kangana, vi. **be tied together, associate, join**
-kanganisa, vt. **join together, link**
-kangema, vi. **congeal, be stuck**
-kangisa, vt. **tie up, put in gaol**
kangatúmbu (sangatúmbu) **woman's skirt,**
                                       underclothes
-kangola, vt. **untie, undo, let go**
-kangwa, vi. **be loosened, become loose**
-kanisa, vt. **think, remember**
-kanisela, vt. **remind**
kantíni, s. **bucket**
kanyáka, s. **bribe**
-kaoka (-káoka), vi. **dry, evaporate, run aground (boat)**
kaoka, s. **river-boat that puts buoys in place**
                                       and plots channel
-kaokisa, vt. **dry, evaporate**
kapínta, s. **carpenter**
kapíta, s. **headman, boss**
kapiténi (kapiténɛ), captain of boat, edible
  cod-like fish (Lates)
kåputóla, s. **shorts**
kasáka, s. **long coat, cassock**
kasɛndɛ, s. **syphilis**
kási, s. **but, however**
kasó, s. **prison, dungeon, solitary confinement**
-káta, vt. **cut across, cross (road, river),**
                                       decide (palaver)
  -káta motéma die
-kátakata, vt. **cut in small pieces, chop up**
-kátatala, vi. **be paralyzed**
  -kátatala lɔbɔ́kɔ have a paralyzed arm
káti, s./adv. **inside, ín, middle**
  káti na **in, between**
katikáti, s./adv. **centre, inside**
-kátisa, vt. **make to cut, ferry over, take across**
káwa, s. **coffee**
-kéba, vi. **beware, take heed**
-kébisa, vt. **warn, advise**
-kékama, vi. **be askew, awry**
-kékisa, vt. **put one object across another**
kelási (kalási), s. **school, class**
-kélela, vi. **be left abandoned, be disconsolate**
-kema, vi. **grunt, make efforts to evacuate**

-kémbisa, vt. **strengthen, encourage**
-kengama, vi. **be awry, askew**
-kengisa, vt. **put askew, awry**
-kɛkɛla, vi. **cackle**
kɛkɛkɛ, adv. **cackling noise**
   -sɛka kɛkɛkɛ **snigger, laugh noisily**
-kékuma, vi. **stutter**
-kɛla, vi. **stream, flow**
kɛlɛlɔ, s. **bugle, trumpet**
-kémba, vi. **be ornate, decorative, adorn oneself**
   -kémbɛla njóto **put on fine clothes, adorn oneself**
-kémbisa, vt. **decorate, make beautiful**
-kɛnda, vi. **go, travel**
-kéngɛla, vt. **guard, supervise, spy on, watch**
-kɛsɛna, vi. **differ, diverge**
-kɛsula (-kɔsɔla), vi. **cough**
-kíba, vi. **choke, suffocate, drown**
-kíbisa, vt. **choke, suffocate, smother, drown**
-kila, vi. **abstain, refrain**
kílíkili, s. **disorder, tumult, moral depravation**
kilío, s. **pencil**
kiló, s. **clinic, prenatal clinic**
-kíma, vi. **run away, flee, escape**
-kímela, vi. **sigh, groan**
kímíá (kímyá), s. **peace, quiet, silence**
kíngá (nkíngá), s. **bicycle**
kiníni, s. **quinine**
kíno, prep./conj. **until, as far as**
-kipa, vi. **guard, take on oneself**
kipói (tipói), s. **hammock**
-kisa, vi. **sit down**
kiswa, vi. **sneeze**
-kita, vi. **descend, diminish**
-kitana, vi. **succeed, replace**
-kitisa, vt. **bring down, lower, condemn (court)**
   -kitisa motéma **calm down**
kíti, s. **chair**
kitíka, s. **sweet banana**
kitɔ́kɔ, adj./s. **beauty, ornament**
   mosálá kitɔ́kɔ **work well done**
   mái kitɔ́kɔ **clear water**
   biléí kitɔ́kɔ **tasty food**
-koka, vi. **be right, equal, sufficient**
-kokana, vi. **be equal, correspond, like**
-kokisa, vt. **put right, prepare, complete, perfect**
kókókó, adv. **tapping noise, knocking**
kokóto (kolokóto), s. **small-pox**
-kóla, vi. **grow, become large**
-kólisa, vt. **bring up (child), cultivate (plants)**
kolókólo, s. **shaving off hair**
kolokóto (kokóto), s. **small-pox**

-kolola, vt. **shave hair off, cut hair**
kólólo, s. **gurgling noise**
  -mɛla kólólo **swallow, gulp down**
-kolota, vt. **crunch, gnaw**
-kóma, vi. **arrive, become**
-koma, vt. **write**
kómbé (kómbékómbé), s. **hawk**
kombokombo, s. **umbrella-tree** *(Musanga)*
-kóna (-lóna), vt. **sow, set seed, plant**
kóngo na sika, s. **water hyacinth** *(Eichhornia)*
-kóngola, vt. **filter, sieve**
kongolí (ngongolí), s. 1. **millipede**
    2. **measles**
    3. **adam's apple, larynx**
-kósa, vt. **deceive, trick**
-kosa, vt./vi. **itch, irritate**
-kosola, vt. **redeem, free, liberate**
-kotola, vt. **contradict**
kɔlɔ́ngɔ́nú, s. **good health, fitness of body**
-kɔ́mba, vt. **sweep, clean**
kɔmbɛ (nkɔmbɛ) **spider's web**
-kɔna, vi. **become ill, fall ill**
-kɔ́nda, vi. **get thin, become emaciated**
-kɔ́ngɔla, vt. **collect, pick up**
kɔ́pɔ, s. **glass, tin, cup, can**
-kɔsɔla (-kɛsula), vt. **cough**
kɔsúkɔsú (kɛsúkɛsú), **cough**
-kɔ́ta, vi. **enter, go inside**
-kɔ́tisa, vt. **put inside, introduce**
kpɔ́dɔ, s. **toad**
-kpuluta, vt. **scour, cleanse**
kpuu, adv. **noise of fall**
  -kwéya kpuu **fall down bump!**
-kúfa, vi. **die, break down, spoil**
kúfa, s. **death**
-kumama, vi. **sit (on eggs), crouch on earth**
-kukisa, vt. **put face down to the ground**
-kukola, vt. **take scab from wound**
kúku, s. **kitchen, cookhouse, cook**
-kulola (-kolola), vt. **shave off hair**
-kúlumba, vt. **mix (food), agitate**
-kúmama, vi. **be honoured, praised**
-kúmba, (-gúmba), vt. 1. **bend, fold**
    2. **carry on back or shoulder**
-kúmbama, vi. **stoop, bend over**
-kúmbola, vt. **straighten up from bent position**
-kúmisa, vt. **honour, praise**
kúná, adv. **there, over there**
-kunda, vt. **bury**
-kundola, vt. **exhume, uproot, unearth**
-kundwa, vi. **be unearthed, exhumed**

kungúlu, s. **cloth with black and white crossed stripes**
kunía (likunía), s. **tarpaulin, sack, tent**
-kúsama, vi. **bend over**
-kúta, vt. **find, meet**
-kútana, vi. **meet one another**
kuu, adv. **noise of gunfire**
-kwa, vt. **obtain, get, take**
kwákátákwákátá, adv.
   -támbola, kw. **walk like a monkey**
-kwala, vt. **scratch, scrape**
kwánga, s. **manioc bread, pudding (boiled in leaves)**
-kwéla, vt. 1. **marry (of husband)**
   2. **fall on, attack**
-kwela, vt. **happen to, arrive at**
   makambo makwelí ngáí **things which have**
                            happened to me
-kwélana, vi. **get married, marry (of wife)**
-kwélanisa, vt. **marry (of family or minister)**
-kwéya (-kwéa), vi. **fall, be condemned (court)**
kwɔ́kwɔ́sɔ́, s. **complication, confusion**

L

-laka, vt. **order, command, promise**
-lakana, vi. **promise one another**
-lakisa, vt. **teach, indicate, show**
-lála, vi. **sleep, lie down**
-lálisa, vt. **lay down, send to sleep**
-lámba, vt. **cook, boil, mix (e.g. cement)**
-lambasana, vi. **pretend to be innocent**
lambasanu, adj. **flat, smooth**
-lámbela, vt. **cook for, prepare food for**
-lambela, vt. **wait for, expect**
-lamuka, vi. **wake up, awaken**
-lamukisa, vt. **wake**
-landa, vt. **follow closely**
-landalanda, vi. **creep**
-lánga, vi. **get drunk**
lángi, s. **colour**
lángilángi, s. **brilliance**
-lángisa, vt. **make drunk, inebriate**
-lángola, vt. **melt, dissolve**
-lángwa, vi. **melt, get drunk**
-lángwisa, vt. **inebriate**
-lápa, vt. **swear an oath**
-láta, vt. **wear clothes, put on clothes**
-látisa, vt. **dress, clothe**

200

-léisa, vt. **give to eat, provide food, feed**
-leka, vi. **cross over, pass by, surpass**
-lekaleka, vi. **run about, pass by continually**
-lekisa, vt. **cause to pass, put through,**
                                    suffer from diarrhoea
-lela, vi. **cry, lament, weep**
-lémalema, vi. **wander about as if lost**
-lemwa, vi. **get angry, lose temper, become violent**
-lénda, vi. **become strong, firm**
-léndendala, vi. **persevere**
-léndisa, vt. **encourage, strengthen, establish**
-lengalenga míso **have tears in the eyes**
-léngola, vt. **seduce**
léta, s. **government, state**
lɛlɔ́, s./adv. **today**
-lémba, vi. **glide (as birds)**
-lɛmba, vi. **get tired, become soft, feeble**
-lɛmbisa, vt. **soften, tire out, weaken**
-lémɔla, vt. **plaster**
-lénga, vi. **tremble, shake**
lɛnyɔ, s. **political meeting**
liasasé (lisasé), s. **yawn**
-liba (-jipa), vt. **shut, close, stop up**
libábó, s. **quiver, sheath**
libakú, s. **stumbling-block**
  -béta libakú **stumble**
  libakú malámu **good luck**
libála, s. **marriage**
libale, s. **1. width**
  2. liver
libándá, s. **courtyard, outside of building etc.**
  libándá na ndembó **football pitch**
líbanda, s. **wrestling**
libandahóli, s. **temporary lodging-house**
libandí (libandjí) **baldness**
libángá (libánga) **stone, rock**
libátá (libáta) **duck, drake**
libáté, s. **spitting cobra**
libátísá, s. **baptism**
libáyá, s. **1. plank, bench**
  2. woman's shawl
  libáya mwíndo **blackboard**
libébí, s. **damage**
libébísí, s. **destruction**
libéka (lipéka), s. **shoulder**
libeke, s. **lake, harbour**
libélá, s. **for always**
libelu, s. *Cola* **tree and nut**
líbenga, s. **pocket, bag, sack**
libélɛ, s. **breast**
libɛngé, s. **sweet potato**

201

libíla, s. **oil palm** *Elaeis*
libimba (ebimba), s. **packet, bunch, ball**
libínjí, s. **testicle**
libobi, s. **civet cat**
libóké, s. **packet, bundle, swarm (bees)**
libomá, s. **anvil**
libómbí, s. **secret**
libomí, s. **loss, destruction**
libónda, s. **flesh of palm nut**
libóndo, s. **mass, heap**
libonga, s. **new settlement settlement, colony**
libóngo, s. **river-bank, shore**
libónjá, s. **reward, treasure**
libosó, s./adv. **front, before**
  na libosó **first, in front**
  libosó na **in front of, before**
libóta, s. **family, tribe, descendants**
libɔkɛ, s. **gourd, squash, melon**
libɔlɔ́, s. **vulva**
libóndá, s. **air bubble**
libóndí, s. **comfort**
libóngó (libólóngó), s. **knee, elbow**
libula, s. **inheritance**
libulú, s. **hole, cave**
libumu, s. **abdomen, womb**
  libumu mɔ́kɔ́ **children of the same mother**
libúngá, s. **mistake, error**
libungutulu, s. **clod of earth, sod**
libúnu, s. **curve in the river**
libwá, s. **nine**
lifelo, s. **hell**
lifika (mafika), s. **kitchen, brazier**
lifili, s. **procession**
lifofe, s. **spider**
lifulukoi, s. **kerchief, handkerchief**
lifunge, s. **flute**
lifungú, s. **button**
lifútí, s. **payment, salary, fine**
ligbómá, s. **madness, folly**
ligbɔlɔ́lɔ́, s. **frog**
lihĭmbo, s. **bread-fruit, tree and fruit**
lijiba, s. **spring (water), well**
likabo, s. **gift, share, generosity**
likáká, s. **foot**
likaka, s. **discord, trouble, quarrelling**
likalo, s. **chariot, vehicle, barrow, push-push**
likámá, s. **danger, difficult**
likámbá, s. **accident, danger**
likambo, s. **affair, palaver**
likamo, s. **bile**
likánga, s. **watch, clock, sun**

likanísí, s. **thought, idea**
likasu, s. *Cola* **nut**
likata, s. 1. **hand**
 2. **testicle**
likatulu, s. **crab**
likaukau, s. **rotang, liana, cane**
likáyá, s. **tobacco, cigarette**
 -mɛla likáyá **smoke tobacco**
likeí, s. **egg**
likéké, s. **bamboo**
likélélé, s. **cricket, grass-hopper, locust**
likelémba, s. **turn, pact to take wages etc. in turns**
likémba, s. **plantain-banana (plant, bunch**
 and individual fruit)
likembé (ekembé), s. **musical instrument with metal**
 or cane keys
likénga, s. **brazier made of pottery**
likékuma, s. **stuttering**
likémɛ, s. **partridge**
likeséni (likesání), s. **difference, distinction**
likɛsi, s. **ankle**
-líkíá (-líkyá), vt. **hope, think ahead**
likinda, s. **an only child**
likisó, s. **sneezing**
likita, s. **assembly, council, committee**
likoba, s. **cushion, pillow**
likóko, s. **fish spp.** *(Synodontis)*
likókoma (likékuma), s. **stuttering**
likoló, s./adv. **sky, height, up-river**
likoló na **above, on, over, up-river of**
 motéma likoló **anxious, worried**
likombe, s. **bachelor**
likombó, s. **mushroom, toadstool**
likomí, s. **writing, notice**
likóngo, s. **large leaf used for roofing, wrapping**
 manioc puddings etc *(Sarcophrynium)*
likonji, s. **pillar, post**
likósí, s. **cable, hawser**
likóswa, s. **redemption**
likófi, s. **punch, blow with the fist**
likómbɔ, s. **plane**
likɔmɔ, s. **bracelet**
likɔndɔ, s. **plantain banana (plant, bunch and**
 individual fruit)
likɔngá (likongá), s. **spear**
likpalala (lipalala), s. **butterfly, moth**
likula, s. **iron-tipped arrow**
likúmba, s. **curve, bend**
likundú (líkundú), s. **stomach, supposed witchcraft**
 organ near stomach, witchcraft
likuniá (kuniá), s. **sacking, sack, tent, tarpaulin, canvas**

likúnyá, s. **hatred, rancour**
likuta, s. **piece of money – Z0,01, formerly F0,1**
likwala, s. **kind of tattoo**
likwángola, s. **machette**
likwélí, s. **fault, condemnation**
likwɔ́lɔ́lɔ́ (ligbɔ́lɔ́lɔ́), s. **frog**
-líkyá (-líkíá), vt. **hope, think ahead**
liláka, s. **corpse prepared for burial, mourning**
lilako, s. **instruction, commandment**
lilála, s. **orange, orange-tree**
lilángá, s. **hostility, turbulence**
   moto na lilángá **person who gets angry quickly**
lilangó, s. **drunkeness**
lilangwa, s. **small, edible fish, spp** *(Eutropis)*
lilebo, s. **palm** *(Borassus)*
lileko, s. **narrow channel in river**
lilita (liyita), s. **tomb, sepulchre**
liloba, s. **word**
lilokó (elokó), s. **pot for cooling water**
lilónga, s. **trap**
lilongá, s. **metal gong**
lilɔngɔ́, s. **bone-marrow**
lilɔ́tɔ, s.8/10 (ndɔ́tɔ) **dream**
lilúkú, s. **mangrove**
liluku, s. **frog, spp.**
lilúsu, s. **hole, opening, cave**
lima, s. **clay**
-limba (-jimba), vt. **deceive, trick**
limbásá, s. **bamboo**
-límbisa, vt. **pardon, excuse**
-limbisa (-jimbisa), vt. **deceive, trick**
-limbola, vt. **explain, show**
-limbola bapelele **give an official explanation**
limbusu, s. **rag, mop, bunch of leaves for scouring**
limelo (limɛlɔ), **number**
limɛmí, s. **respect, honour**
límpa (lípa), s. **wheat loaf**
limpúta (lipúta), s. **loin-cloth**
-limwa, vi. **disappear, faint, set (of sun)**
-limwisa, vt. **make to disappear, faint**
-linda (-jinda), vi. **sink, go under**
lindanda, s. **accordion**
lindɔngɛ, s. **termite heap**
-línga (-jínga), vt. **surround**
-linga, vt. **love, like, be about to do something**
lingámbó, s. **black baboon**
lingáto, s. **crab**
lingeléma, s. **covenant, agreement, concord, pact**
língénda, s. **stick, rod, staff**
-lingisa, vt. **permit, allow**
língolo (mángolo), s. **mango (tree and fruit)**

lingómba, s. **society, community, church**
língúndu, s. **scrotal hernia**
linjáká, s.10 **claw, nail (finger, toe)**
linjanja, s. **roofing-sheet (metal), metal drum, tin**
lininísa, s. **window, shutter**
líno, s. (pl. míno) **tooth, edge of knife**
linuka, s. **sponge, swab**
lípa (límpa), s. **loaf of wheaten bread**
lipalala (likpalala), s. **butterfly, moth**
lipambóli, s. **benediction**
lípanda, s. **independence**
lipápa, s. **slipper, sandal**
lipapu, s. **wing, fish-fin**
lipása, s. **twin**
lipata, s. **cloud**
lipáté (epáté), s. **tick, tag, touch in game**
lipéka (libéka), s. **shoulder**
lipeke, s. **raffia, wine-palm**
lipeko, s. **cubit**
lipela, s. **guava-pear, tree and fruit**
lipíka, s. **wart**
lipípí, s. **weal, stripe on skin**
lipokopóko, s. **tsetse-fly**
lipoli, s. **basket**
lipombó, s. **pride, vanity**
lipopá, s. **blister, ulcer in mouth**
lipolela, s. **loin-cloth**
lipúta (limpúta), s. **loin-cloth**
lipwépwa, s. **kiss**
lisábá, s. **yam spp., spinach (leaves)**
lisaka, s. **marsh**
lisálísí, s. **treatment (medical), help, aid**
lisángá, s. **rattle of canework**
lisangá, s. **mixture, community, association**
lisangála, s. **demi-john**
lisángó, s. **maize-cob, maize plant, grain of maize**
lisangó, s. **inheritance (name)**
lisanjólí, s. **praise, congratulations**
lisano, s. **game**
lisanola (lisanóla), s. **comb**
lisapo, s. **fable, story**
lisasámba, s. **arm-pit**
lisasé (liasasé) **yawn**
lisási, s. **cartridge, ball (gun)**
lisasó (lisasú), s. **saucepan, dish**
liséké, s. **animal horn, tobacco pipe**
lisekúsekú, s. **hiccoughs**
liséngínyá, s. **betrayal, treason**
lisese, s. **proverb, fable, parable, story**
liséti, s. **machette**
lisiko, s. **deliverance, redemption, freedom**

205

lisímí, s. admiration, praise, honour
lisisi, s. hinge
líso, s. (pl. míso) eye
lisóbe (esóbe), s. grassy plain in forest, desert
lisoló, s. conversation
lisomba, s. tuft of feathers, of hair, crest
lisɔkémí, s. humility
lisɔkí, s. shoulder
lisɔkɔ, s. anus
   masɔkɔ, s. buttocks
lisóní, s. writing
lisɔsólí, s. comprehension, recognition, conscience
lisukú, s. turban
lisumɛ (sumɛ), s. small towel
lisúmu, s. crime, sin
lisungí, s. help, aid
lisúsa, s. fold, wrinkle
lisúsu, adv. again
lisúsu té no more
litáma, s. cheek
litambála, s. handkerchief, serviette, cloth
litámbé, s. sole of foot, trace, spoor, footprint
litándálá, s. hailstone
litándú, s. palm of hand
litangá, s. drop, droplet
litatólí, s. witness, testimony
litete, s. bamboo
litéyo, s. doctrine, instruction
litii
   míso litii blindness
litíka, s. remnant, remainder
litimba, s. whirlpool
litimbó, s. bow (for arrows)
litíndí, s. foot
litingá, s. knot (plant, tree)
litíti, s. leaf, page, weed
   matíti, s. weeds, grass, rubbish
litói, s. ear
litóló, s. papyrus, umbrella
litómbá, s. profit, benefit, advantage
litóndí, s. fulness
litóngá, s. joint, knot (string)
litóngí, s. construction, building (action)
litóngwáná, s. abscess, boil, whitlow, sty (eye)
litópe, s. rubber, rubber-tree, rubber-ball
litósí, s. obedience, respect
litɔkó, s. mat
litɔkɔtɔkɔ, s. shoulder
litɔlú, s. navel
litóndí, s. thanks, gratitude
litóngí, s. slander

litɔnɔ́, s. **stain, spot, blot**

litúbo, s. **perforation**

litúká, s. **mushroom-shaped ant hill, fireplace,**
                       fire-stones, hearth

litukú, s. **tree with light wood that floats easily, cork**

litumbo, s. **stove, furnace**

litungúlu (litungúnu), s. **onion**

litútú, s. **bruise, bump, lump on skin**

liwá, s. **death**

-líya, vt. **eat, bite, consume, embezzle (money)**

liyaka, s. **pearl, bead**

liyanga, s. **fish spp.** *(Citharius)*

liyanji, s. **jigger**

liyɛbu, s. **mushroom spp.**

liyíká, s. **yam, spinach from leaves of yam**

liyita (lilita), s. **tomb, grave, sepulchre**

liyóyó, s. **cricket, grasshopper**

liyúta, s. **wrinkle, fold**

loambo, s.10 (mpambo) **worm, earthworm**

-loba, vt. **speak, say, make a noise**

-lobaloba, vi. **be garrulous, talk nonsense**

-lobana, vi. **converse**

-lobisa, vt. **make to speak, preside over a meeting**

lobáláká, s. **hedge, enclosure**

lobángá, s.10 (mbángá) **jaw, jawbone**

lobángo, s.10 (mbángo) **speed, quickness**
   na mbángo **quickly, hastily**

lobánjí, s. **arrow**

lobánjo, s. **thought, idea**

lobásí, s. **arrow, tree to make arrows**

lóbí, s./adv. **yesterday, tomorrow**

lobíko, s. **healing, cure, life, permanence**
   lobiko na lobíko **for ever and ever**

lobilíki (bilíki), s.10 **brick**

lofalánga (lofalánka), s. **franc coin**

lofundo, s. **disorderly behaviour, immorality**

lofungóla, s. **lock, key**
   mwána na lofungóla **key**
   mamá na lofungóla **lock**

lokalánga, s.10 **peanut**

lokámba **liana, strap, belt**

lokásá, s.10 **leaf, page**

lokelé, s.10 **oyster, oyster-shell, spoon, ladle**

lokétu, s. **waist**

lokíki, s. **eyebrow**

lokito, s. **noise**

lokoko (mokoko) s.10 **sugar cane, reed**

lokóla, adv. **as, like, also**
   lokóla na **such as**

lokolé, s. **round slit-drum, talking-drum**

lokolo, s. (pl. makolo) **leg**

lokongo (likongo), s. **large leaf for making roof tiles**
(Sarcophrynium)

lokóngo, s. **hoe**

lokóni, s. **firewood**

lokoso, s. **avidity, greediness**

lokota (lokóta), s. **dialect, language**

lokúmu, s. **honour, renown, reputation**

lokutá, s. **lie, falsehood**

lóla, s. **sky**

loléma, s. **bat (flying mammal)**

lolémo, s.10 (ndémo) **tongue (mouth)**

loléngé, s.10 (ndéngé) **sort, kind**

lómá, s. **impudence, impertinence**

lománde, s. **1. fine, penalty**
2. dew

-lóna (-kóna), vt. **sow, plant**

londéndé, s. **mist**

londímo, s.10 **lemon, tree and fruit**

-lónga, vi./vt. **succeed, be acquitted (at court), be right**

-lóngana, vi. **marry**

-lóngisa, vt. **acquit, make to succeed**

lóngo, s. **anchor**

-longola, vt. **take away, take from, subtract**

-longola na mpɔngí **wake up**

longónya, s. **1. chameleon**
2. present given by successful person to others

-longwa, vi. **go away, depart**

longwá na **since, from a date in the past**

lopángo, s.6 **hedge, enclosure, fence**

lopómbóli, s.10 **butterfly, moth**

loposo, s.10 **skin, bark, hide, fish-scales**

losako, s. **greetings, hello!**

losálá, s. **bird's feather**

losámbo, s. **religious service**

loseba, s. **boat's siren, whistle**

losili, s. **flea, louse, tick**

losuke, s. **egg-plant**

losúki (mosúki), s. **hair of head**

lotiliki, s. **electricity**

lóto, s. **spoon, ladle**

lotómo, s. **errand, duty**

lotótó, s. **spark**

loyémbo, s.10 (njémbo) **song, hymn**

lɔbɛlenge, s. **bridge**

lɔbɛse, s. **die for gaming, lot**

lɔbɔ́kɔ, s.6 **arm, hand**
lɔbɔ́kɔ na mobáli **right hand, the right**
lɔbɔ́kɔ na mwási **left hand, the left**

lɔkɛndɔ, s. **journey**

-lɔkɔta, vt. **pick up, find**
kɔlɔkɔta **finding is keeping!**

208

lɔkɔ́ngíá (lɔkɔ́ngyá), s. **eye-lash**
-lɔmba, vt. **pray, beg**
lɔngɛmbú, s. **large bat, umbrella**
lɔnjɔngɔlɔngɔ, s. **claw, nail**
lɔpété, s. **ring, circle, stripe showing rank on**
                                    soldier's tunic
lɔpitálo, s. **hospital**
lɔsétɛ, s. **nail, screw**
lɔ́sɔ, s. **rice**
-lɔ́ta, vi. **dream**
lɔtébú, s. **razor**
lɔtɔ́kɔ́, s. **eye-lid**
-luba, vt. **fish with net or basket**
lubola, vt. **discharge cargo from canoe or boat,**
                        take things out of a hole
-lubwa, vi. **disembark, land**
-lúka, vt. **paddle, row**
-luka, vt. **seek, look for**
-lúla, vt. **covet, desire strongly**
-lúlela, vt. **envy**
-lumba, vi. **emit bad odour, stink**
-lumbuta, vt. **smell, sniff**
-lunda, vt. **eat voraciously**
lúngu, s. **round plate, dish, winnowing-basket**

M

mâ, interj. **take! here!**
maa, adv. **full up**
  -tónda maa **be full to the top**
mabé, adj./s. **bad, evil, wrong**
mabelé, s. **soil, earth, ground**
mabɛ́lɛ, s. **milk, breasts**
madesó, s. **beans**
mafika, s. **kitchen, hearth**
mafúta, s. **oil, fat, grease**
magasíni, s. **store**
mái, s. **water, liquid, juice, sap**
maíná, s. **pus**
makáko, s. **monkey**
makala, s. **charcoal, cinders**
makalékalé, adv. **lying on the back**
makángo, s. **concubine**
makási, s./adj. 1. **strong, force, difficult, severe**
    2. **scissors**
makayábo, s. **dried, salt fish**
makéle, s. **iron ore, stone**

makɛlélɛ, s. **big noise, uproar**
makilá, s. **blood**
  makilá malámu **good luck**
  makilá mabé **bad luck**
makwéla, s. **marriage**
maláli (maládi), s. **illness, sickness**
malámu, s./adj. **good, goodness**
malási, s. **perfume, sweet smell**
málembá, s. **manioc root cooked**
malémbɛ, adv. **slowly, with care**
maligbángá, s. **ostrich**
malíli, s. **cold, humidity**
malinga, s. **dance like Europeans', holding partner**
                                                    in arms
malóme, s. **semen**
malɔbɛ, s. **tub**
mamá, s. **mother**
  mamá na likambo **essence of an affair**
  mamá na mápa **yeast, leaven**
-mama, vt. **touch, grope**
mamba, s. **water snake**
mambénga, s. **strong pepper**
mamélo, s. **R.C. sister, nun**
mámpa (mápa), s. **wheaten bread, loaf**
mamwɛ́, s. **dew**
mandéfu, s. **beard**
mangála, s. **lingala language**
mángo, s. **palm frond**
mángolo, s. **mango, tree and fruit**
mangúngú mpámba **bravado**
mángwɛlé, s. **small pox**
  -káta mángwɛlé **vaccinate**
máni, s. **medicine, remedy**
manjolínjongo, s. **disorderly person**
mantéka (matéka), s. **butter, loot**
manyɔ́tɔ (minyɔ́tɔ, menɔ́tɔ), s. **handcuffs**
mápa (mámpa), s. **wheat bread, loaf**
mapela, s. **guava pears, guava pear tree**
masálu, s. **gills**
masanga, s. **beer, palm beer**
masángó, s. **maize, plants and grain**
masápo, s. **urine**
masási, s. **ammunition, cartridges**
maséti, s. **machette**
masíni, s. **machine**
masíya, s. **messiah**
masɔkɔ, s. **buttocks**
masua, s. **ship, steamer**
  masua tɔtɔ **train, locomotive**
masúba, s. **urine**
matambísi (matabísi), s. **tip, gift**

matángá, s. **funeral**

matáta, s. **trouble, difficulty, problems**
  motéma matáta **quarrelsome person**

matéyo, s. **doctrine, sermon, teaching**

matέka (mantέka), s. **butter, loot**

matεmbélε, s. **spinach, sweet potato leaves**
  matεmbélε mbángi **spinach of finely-divided**
                                          sweet potato leaves

matíti, s. **weeds, leaves, rubbish, grass**

matópe, s. **rubber**

matókó, s. **conjunctivitis**

matóndí, s. **thanks, gratitude**

matóndó, s. **harvest festival**

matónómatónó, adj. spotted

matutu, s. **space behind house**

mawa, s. **sadness, pity**

mayélε, s. **slyness, wisdom, knowledge**
  mayélε tέ **no way (of doing something)**

mayíka, s. **yam spp., spinach from its leaves**

mayita, s. **cemetery**

mayíná (maíná), s. **pus**

mbaka, s. **prow of canoe**

mbálá, s. **1. leprosy**
    2. potato

mbala, s. **times**
  mbala mókó **once, at the same time**
  mbala míbalé **twice**

mbaláta, s.2/10 **horse**

mbali, s. **shrew, mouse**

mbamba, s. **patch, repair**

mbambí, s. **iguana, monitor lizard**

mbanda, s. **second wife**
  mbanda na ngáí **the other wife of my husband**

mbángá, s. **jaw, jawbone**

mbángi, s. **hemp, hashish, *Cannabis***

mbángo, s. **speed, quickness**
  na mbángo **quickly**

mbanja, s. **ebony**

mbánjí, s. **arrows, nerve of palm leaf, mat made**
                                          with these
  mbánji na míno **tooth-brush**

mbano, s. **profit, price**

mbatá, s. **slap on face, box of the ear**

mbéka, **sacrifice, loan**

mbéki, s. **pot, pottery**

mbele, s. **cowrie**

mbétó, s. **mat, bed**

mbε, conj. **thus, then, therefore**

mbéka, s. **sacrifice**

mbεlε, conj. **thus, then, therefore**

mbélέ, s. **pottery**

mbɛlí, s. **knife**

mbɛmba, s. **frog**

mbɛmbé, s. **large, edible snail** *(Achatina)*

mbenga (mɛnga), s. **tiger-fish** *(Hydrocyon)*

mbɛsɛ, s. **die for gaming, lot**
  bwáka mbɛsɛ **cast lots**

mbíla, s. **palm-nut, palm-tree** *(Elaeis)*

mbilíka, s. **kettle**

mbílíngámbilinga, adv. **upside-down, inconsistent**

mbimbí, s. **repletion, excess**

mbíndo, s. **dirt**

mbinga, s. **thickness**

mbínjo, s. **caterpillars (edible)**

mbísi, s. **fish (gen.)**

mbóka, s. **village, town**
  mboka na **towards, at**

mboká, s. **fish spp.**

mbólókó, s. **dwarf antelope**

mbomá, s. **yam (gen.)**

mbombó, s. **mould, rotten wood**

mbonda, s. **long drum**

mbondó, s. **poison**
  -melisa mbondó **give the poison ordeal**

mbonga, s. **sheath for spear-blade**

mbótó, s. **fish with yellow flesh** *(Distichodus)*

mbɔ́ndí, s. **indemnity, propitiation**

mbɔ́ngé, s. **wave (water)**

mbɔ́ngí, s. **little bead, necklace made with such beads**

mbɔngɔ, s. **fish spp.**

mbɔ́ngɔ, s. **wages, money**

mbɔ́tɛ, s. **greeting, "Good morning"**

mbɔtela, s. **illegitimate child**

mbubú, s. **poisonous fish** *(Tetraodon)*

mbukulu, s. **kapok tree** *(Bombax)*

mbúla, s. **rain, rainy season, year**

mbuli, s. **large forest antelope**

mbulú, s. **jackal**

mbuluku, s. **fold in cloth**

mbuma, s. **fruit, seed, lump in body, boil**

mbunga, s. **miracle berry, small fruit making acid
                    things taste sweet,** *(Synsepalum)*

mbunjú, **albino**

mbwá, s.2 **dog**

mbwí, s. **grey hair**

-meka, vt. **attempt, try, tempt**
  komeka, s. **effort, attempt**

-mekama, vi. **be tempted, tried**
  komekama, s. **temptation, exam**

-mekana, vi. **race, compete**
  komekana, s. **competition, race**

-mekola, s. **imitate**

-mɛla, vt. **drink, swallow, absorb**
  -mɛla likáyá **smoke tobacco**
mɛlɛsi, int. **merci!**
-mɛma, vt. **carry**
mɛmɛ, s.2/10 **sheep**
-mɛmisa, vt. **make to carry, honour, respect**
mɛnga (mbɛnga), s. **tiger-fish** *(Hydrocyon)*
mésa, s. **table**
-mɛsɛna (-mɛsana), vi. **be used to, be accustomed to**
métélɛ, s. **measure, metre**
mɛya, s. **half-franc coin**
mfufú (fufú), s. **flour**
mfulu, s. **froth, foam, bubbles**
míbalé, adj. **two**
-míbíkisa, vi. **escape, save oneself**
midí, s. **midday**
  midí na butú **midnight**
midɔ́, s. **starch**
-míjindisa, vi. **plunge**
mikelé, s. **goal (football or traditional games)**
milúlú, s. **official celebration**
mínei, adj. **four**
mingai, s. **rheumatism**
míngi, adj. **many, much**
-minya, vt. **twist**
minyɔ́tɔ (manyɔ́tɔ, mɛnɔ́tɔ), s. **handcuffs**
mísáto, adj. **three**
mítáno, adj. **five**
mitíngi, s. **political assembly, political meeting**
mitoki, s. **perspiration, sweat**
misíki (mizíki), s. **music**
  mwásí na misíki **prostitute**
mobako, s. **wooden ladle**
mobálani, s.2 **bride**
mobáli, s.2 **husband, male**
mobambo, s. **brush, besom**
mobandi, s. **lover, fiancé**
mobando, s. **shock from electric fish**
mobangé, s.4 **elder, elderly person**
mobángi, s.2 **coward**
mobateli, s.2 **guard, shepherd**
mobeka, s. **river channel**
mobéko, s. **law, order, prohibition**
mobémbo, s. **journey**
mobémo, s. **sigh, groan**
mobengi, s.2 **hunter**
mobesu, adj. **fresh, raw**
mobíkisi, s.2 **healer, saviour**
mobili, s. **follower, catechumen**
mobimba, s. **whole, total**
  mɔkɔlɔ mobimba **all day long**

mobimbi, s. **trunk (body, tree)**

mobínjo, s.10 **edible caterpillar, tree producing these**
(Combretodendron)

mobóko, s. **foundation**

mobóla, s.2 **poor person**

moboma, s. **victim, animal sacrifice**

mobomi, s.2 **murderer**
   mobomi mbísi **fisherman**

mobóti, s.2 **mother, father, parent**

mobótisi, s.2 **midwife**

mobú, s. **year**

mobulu, s. **disorder, chaos, bad behaviour**

mobuni, s.2 **combatant**

mobungutulu, s. **cliff, fallen bank**

mobwí, s.10 **a grey hair**

mofáti, s. anus

mogóngókólí (mongóngókólí), s. **whistling,**
communication by means of whistling

mogugu, adj. **green, sour, unripe (of fruit)**

mói, s. **sun, sunshine, heat of sun**

moíbi (moyíbi), s.2 **thief, robber**

moími, s. **miser, miserliness**

moíndo, s.2 **black-skinned person**

mojalani, s.2 **neighbour**

mojalisi, s. **creator**

mojinga, s. **cannon**

mojómbé, s. **feeler, antenna, moustache**

mokabo, s. **division, part, chapter (book)**

mokaka, s. **crack, crevice**

mokakatano, s. **embarrassment, perplexity, worry**

mokalikali, s. **lightning (sheet)**

mokako swaa, interj **benediction said to a benefactor**

mokalo, s. **excuse, pretext**

-tíya mokalo **excuse oneself, apologize**

mokámá, s. **hundred**

mokandá, s. **book, paper, letter**

mokáno, s. **will, determination, purpose**

mokáte, s. **small loaf, dough-nut**

mokato, s. **trip (wrestling)**

mokékélé (monkékélé), s.10 **cane, osier,**
(Eremospatha)

mokíla, s. **tail**

mokili, s. **ground, earth, world, country, storey**
(in building), deck (boat)

mokíma, s. **sign, groan**

mokinja, s. **wind from bowels**

mokitani, s.2 **successor, replacement**

moklisto, s.2 **christian**

mokobe, s. **small, white fish**

mokóbo, s. **colour, paint, ink**

mokoko (lokoko), s.10 **sugar cane**

mokóló, s.4 **adult, older person, senior, proprietor**
mokomboso, s. **chimpanzee**
mokomi, s.2 **writer, author**
mokónga, s. **fish (spp.)**
mokóngo, s. **peace-pact, communication by**
                                                    talking drum
mokongolo, s. **funnel**
mokonji, s.2/4 **chief, king**
mokónjó, s. **manioc root**
mokósá, s. **irritation, itch**
mokosi, s.2 **impostor, hypocrite**
mokóto, s. **outer garment, coat**
mokúfi, s.2 **dead person**
mokúlútú, s. **scratch**
mokúmbá, s. **burden, package**
mokúngúlú, s. **diarrhoea, dysentery**
mokunja, s.10 **body hair of human or animal hair**
mokúsé, adj. (mi-) **short, low**
mokuté, s.10 **sand-fly**
mokwa (mokua), s. **bone**
mokwango, s. **siren of steamer**
mokwela, s. **heron**
mola, s. **myrrh**
molaí, s./adj., (mi-) **long, tall, high**
molakisi, s.2 **teacher instructor**
moláko, s. **camp for hunters or fisherman, temporary**
                                                    dwelling
molanga, s. **paddle-wood tree** *(Staudtia)*
molángi, s.2 **drunkard**
molangi, s.4 **bottle**
molangiti (bolangiti), s. **blanket**
molangó, s. **hoop for climbing palm-trees**
moláto, s. **clothes, style of dress**
mole, s. (pl. miole) **nerve, nervousness**
molelo (ndelo), s. **limit, boundary, frontier**
moléndé, s. **courage, daring**
molengélí, s. **isolation, solitude**
molika, s. **rancour, spite**
moliká (ndiká), s.10 **palm kernel**
molikáni, s. **calico, americani**
mólíli, s. **shade, darkness**
molimi, s. **younger brother, sister**
molímó, s.2/4 **spirit, ghost**
molínda, s. **loin-cloth**
mólinga, s. **smoke**
molingami, s. **beloved, darling**
molobeli, s. **advocate, spokesman**
molókó, s. **heart, internal organs of body**
molóló, s. **row of houses, street**
molondó, s. **tree, African teak** *(Chlorophora)*
molubá, s. **fishing-net**

molúká, s. **river**
molúka, s. **canoe journey**
moluka, s.10 (nduka) **barrage for fishing**
molúki, s.2 **paddler**
molunge, s. **body heat, sweat**
  milunge **fever**
mombito, s. **black snake, spp.**
mombongo, s. **commerce**
mombóto, s.10 **seed**
mombúli, s. **sunshade**
mombuma, s. **fruit, pill, swelling**
momekano, s. **competition, race, examination**
mompéndé, s.10 **calf of leg**
monama (monyama), s. **rainbow**
monana, s. **salt**
  mái na monana **sea, ocean**
monano, s. **journey up-river**
mondéngé, s. **custard-apple, bullock's heart**
móndengé, s. **bet, click of fingers to mark end**
                            of palaver
  -béta móndengé **wager**
mondimi, s.2 **believer**
mondóki, (bondóki, bundúki), s. **gun**
mondule, s. **horn, trumpet, record**
mongálá, s. **channel in river**
mongámbá, s. **workman**
mónganga, s. **doctor, healer, remedy, medicine**
  mónganga míno **dentist**
  mónganga míso **optician, oculist**
mongéndu, s. **tube**
móngólo, s. **pot for cooling water**
mongolo, s. **tobacco**
mongómbó, s. **cabin, hut**
mongóngó, s. **voice, melody (song)**
monguba, s.10 **pea-nut**
monguna, s. **enemy**
mongunjangunja, s.10 **wasp**
mongúngú (mokúngí), s.10 **mosquito**
mongútú, s. **slit-drum**
mongwa, s. **salt**
  mái na mongwa **sea, ocean**
monili, s. **electric fish, electricity**
moníngá, s.2 **friend**
monjánga, s.2 **large fish, spp.**
monjéngá, s. **handsome person, especially a youth**
                            or girl
monjili, s. **whirlwind**
monjói, s.10 **bee**
monjúbe, s.10 **spine, prickle**
monkékélé (mokékélé), s. **cane, osier** *(Eremospatha)*
montolé (motolé), s. **crown**

monunu, s.2 **very old person, senile person**

monungi, s.2 **baby at breast, suckling**

monyámá, s. **hunting-net**

monyama (monama), s. **rainbow**

monyongo, s. **water-pot**

moombo, s.2 **slave**

moóndó, s./adj. **yellow earth, yellow**

mopakano, s. **pagan**

mopánga, s. **machette, sword**

mopanjé, s.10 **rib, side of a thing, of the body**

mopaté, s. **ivory**

mopaya, s.2 **stranger, visitor**

mópe, s. **(pl, bamópe) RC priest**

mopiáto, s. **love philtre**

mopíko, s.10 **kidney**

   mpíko, s.pl. **kidneys, courage, determination**

mopíla, s. **rubber, ball, pull-over**

mopúmba, s.10 **caravan ant**

mopumbú, s.10 **crumb, grain of dust**

mosáka, s. **soup**

mosakoli, s.2 **preacher, creator**

mosálá, s. **work, business, occupation**

mosáli, s.2 **workman**

mosándá, s. **height size**

mosangé, s. **tree giving good charcoal**

mosántó, (mosántú, mosátó), s./adj. **saint, saintly**

mosao, s. **tree and fruit of the safu (Dacryodes)**

mosapi, s. **finger, toe**

moseka, s.2 **unmarried girl**

mosíka, s./adj. **distance, far away**

mosíngá, s. **epilepsy**

mosío, s. **file (tool)**

mosisa, s. **root, tendon, nerve, blood vessel, muscle**

mosóí, s. **harpoon (for hippos)**

mosónjó, s. **leech**

mosúkí, s.10 **hair of head**

mosulúku, s. **bleached cloth, pale skin of body**

mosumáni, s. **saw**

mosungi, s.2 **helper, assistant**

mosuni, s. **flesh, meat**

mosúsu, adj./pron.2 **another**

moswé, s.10 **hair of head**

motái, s. **hunting-net**

motaká, s. **nakedness**

motáko, s. **brass, brass rod used formerly as currency**

motáláká, s. **shelf, storey, frame for drying nets,**

                                    fish, etc.

motalímbo, s. **pick-axe**

motámbo, s. **trap**

motámbolisi, s.2 **leader, guide**

motáné, s./adj. **red, paleness of body**

motau, s./adj. **softness, feeble, easy**

motéma, s. **heart, interior, centre, internal body organs**
  motéma mokúsé **impatience**
  motéma molaí **patience**
  motéma likoló **agitation, anxiety, nervousness**
  motéma kiló **depression, sadness, discouragement**

motéyi (motéi), s.2 **teacher, instructor, pastor,**
                                      missionary

motíma, s. **stream, river**

motíndo, s. **kind, sort, habit, custom**

motíyo, s. **journey down-river**

moto, s.2 **person**
  moto na letá **administrator, state official**

motó, s. **head, chief, bunch (of fruit)**
  motó na mái **spring**
  likoló na motó na.... **the responsibility of....**

motóbá, adj. **six**

motolé (montolé), s. **crown**

motómba, s. **large forest rat**

motonga, s. **lock of hair**

motuba, s. **immature animal**

mótuka, s. **vehicle, car**

motúki, s.2 **heir**

motúli, s.2 **blacksmith**

motúma, s. **harpoon (for fish)**

motúna, s. **question**

motúno, s./adj. **bluntness**

motutu, s. **fisherman or hunter who returns empty**
                             handed, unsuccessful person

motwá, s.2 **pygmy**

motúya, s. **price, number**

moúli, s. **breath, steam, vapour**

mowéi, s.2 **dead person**
  mowéi na Sóngóló **the late So-and-So**

mowíti, s. **vine, grape**

moyini, s.2 **enemy**

moyóyó, s. **nasal mucus**
  -bɛla moyóyó **catch cold**

mɔbɛli, s.2 **sick person, patient**

mɔbɛmba (mɔmbɛmba), s. **frog**

mɔbɛmbé, s.10 **large, edible snail** *(Achatina)*

mɔbɔmba, s. **sepulchre**

mɔí
  na mɔí na mɔí **carefully, little by little**

mɔké, adj./s. **small, little, helper, assistant**

mɔkɛbɛ, s. **board-game**

mɔkéngɛli, s.2 **guard, sentinel, keeper, watch-man**

mɔkɛsɛ, s. **tree with yellow, hard wood** *(Naclea)*

mɔ̃kɔ́ (mɔ́kɔ́), adj. **one, self**
  yé mɔ̃kɔ́ **he himself**
  bísó mɔ̃kɔ́ **we ourselves**

mɔkɔkɔ, s. **trunk of tree (fallen), log of wood**
mɔkɔlɔ, s. **day**
  mɔkɔlɔ na yenga **fête, Sunday, holiday**
  mɔkɔlɔ na libosó **Monday**
  mɔkɔlɔ na mosálá mɔ̌kɔ́ **Monday**
  mɔkɔlɔ na pɔ́sɔ **Saturday**
mɔkɔndɔ, s. **animal tail**
mɔkɔndɔ́kɔ (nkɔndɔ́kɔ), s. **cat**
mɔkɔngɔ, s. **back, keel (boat)**
mɔkwɛtɛ, s. **planet Venus, evening star**
mɔlékɛ, s.10 (ndékɛ) **fish-trap**
mɔlɛkɛ, s.10 **small bird, weaver-bird**
mɔlɔki, s.2 **witch, sorcerer**
mɔlɔngó, s. **line, row**
mɔmbɛmbé (mɔbɛmbé), s.10 **large, edible snail**
                            (Achatina)
mɔmbɔmbɔ (mɔbɔmba), s. **sepulchre**
mɔmbɔnda, s. **boiler, chimney**
mɔmbɔti, s.2 **stranger, soldier**
mɔmé, s. **dew**
mɔmɛsɛnɔ, s. **custom, habit**
-mɔ́na, vt. **see**
  -mɔ́na nsɔ́mɔ, njala.... **be afraid, hungry**
  -mɔ́nana **seem, appear**
mɔndélé, s.4 (also pl. bamindélé) **white man**
mɔndéléndɔmbɛ **clerk**
mɔndɔlu, 10 **lead (metal)**
mɔndɔndɔ, s./adj. **boredom, monotonous, irrelevant**
mɔndɔngɛ, s.10 **termite (spp.)**
mɔnénɛ, s./adj. (mi-) **big(ness), width, thick(ness),**
                size, importance
mɔngí (mɔngímɔngí), s. **slowness**
mɔngólí, s. **ghost, spectre**
mɔngɔlú, s. **striped cloth**
mɔngɔmbɔ́, s. **heavy copper collar**
-mɔ́nisa, vt. **show, indicate**
mɔnjɛlɛ, s. **agreable person or thing, niceness**
  -támbola mɔnjɛlɛ **act smartly**
mɔnɔ́ (mɔnɔ́ɔ), s. **medicine, remedy, spell**
mɔnɔkɔ, s. **mouth, opening**
mɔnɔngi, s.2 **spy**
mɔnyɛngɛnyɛngɛ, s. **heron, egret**
mɔnyɔ́kɔ, s. **persecution**
mɔnyɔlɔ́lɔ, s. **chain, necklace**
  ndáko na mɔnyɔlɔ́lɔ **prison**
mɔɔngi, s.2 **beggar**
mɔpɛkɛsɛ, s.4/10 **cockroach**
mɔpéné, s. **space filed between front teeth**
mɔpɛpɛ, s. **wind, air**
  maláli na mɔpɛpɛ **influenza**
mɔpétɔ, s. **saint, clean person**

mɔpɔkɛ, s.10 **bee**
mɔpɔmbi, s.10 **custard apple**
mɔpɔndú, s.10 (mpɔndú) **leaf of manioc,**
                           spinach made with these
mɔpɔtú, s. **1. site of abandoned village**
  2. sharpness of knife, spear etc.
mɔsɛlé, s. **skewness, obliqueness**
  káta mɔsɛlé **cut on the skew**
mɔsélékété, s.10 **lizard, gecko**
mɔsénji, s.10 **village person, peasant (pejorative word**
            used by town dwellers), "uncivilised person"
  mbóka na basenji **village in the bush**
mɔsénjú, s. **fire-wood for river-steamer**
mɔsikitélɛ, s. **mosquito-net**
mɔsɔ́lɔ, s. **civet cat**
mɔsɔlɔ, s. **money, riches, wealth, bride-price, dowry**
mɔsɔ́mbɛ, s.10 **fleshy nut-like fruit**
mɔsɔpi, s.10 **earthworm, spp.**
mɔsɔpɔ́, s.10 **bowel, intestine**
mótɛkɛ, s. **roasted manioc roots**
mɔtékɔ, s. **running knot**
mɔtémbɛ, s. **manioc stem**
mɔtémɛli, s.2 **adversary**
mɔténgu, s. **lameness, crippled state**
mɔténgumi, s.2 **cripple, lame person**
mɔtenitɛni, s.10 **firefly**
mɔtɛtɛ, s.10 **basket made of palm leaves**
mótɔ, s.4 (miɔ́tɔ) **fire, heat, star**
mɔtɔ́ndɔ́, s. **ridge of roof, post**
mɔtɔngu, s. **sugar-cane beer**
mɔyéngɛbɛni, s.2 **saint, righteous person**
mpaka, s.10 **1. copal**
  s. **2. elder, old person**
mpakása, s. **buffalo**
mpáko, s. **tax**
mpámba, s./adv. **nothing, useless, vanity**
  mpámba té **because**
mpámela, s. **rebuke, reprimand**
mpámbo, s. **earthworm(s)**
mpándá, s. **scabies, itch**
mpango, s. **staff, rod, stick**
mpáo, s. **spade, spoon**
mpaɔ́ni, s. **gold**
mpási (mpasi), s. **pain, suffering, hardship, difficulty**
mpata, s. **5 units of currency**
mpaté, s.2/10 **sheep**
mpé, conj. **and, also**
mpeko, s. **raffia**
mpela, s. **flood**

mpéma, s. **breath, respiration**
  -benda mpéma **breathe in**
  -bimisa mpéma **breathe out**
  -mɛla mpéma **pant, gasp for breath**
mpéndé, s. **calf of leg**
  -píka mpéndé **hold firm, resist**
mpenjá, adv./adj. **indeed, even, alone**
mpémbɛ́, s./adj. **white(ness), ivory, chalk, whitewash**
mpépɔ, s. **aeroplane**
mpété, s. 1. **ring(s)**
    2. **stripes on soldier's tunic**
mpétɔ́ s./adj. **clean(liness), purity**
mpíá, s. **sharpness, edge of knife, spear**
mpii (pii), s. **tiredness, fatigue**
mpíko, s. **kidneys, courage, perseverance**
mpíli, s. **blue cloth worn at funerals, mourning**
mpímbo (fímbo), s. **whip**
mpíɔ, s. **cold, dampness**
mpísoli, s. **tears (in eyes)**
mpó (mpóko), s. **mouse, rat**
mpóka, s. **tick**
mpokotói, s. **obstinacy**
mpókwa, s. **afternoon, evening**
mpómbóli, s. **butterfly, moth**
mpónjó, s. **manioc root (fresh)**
mpósá, s. **desire**
  mpósá na mái **thirst**
mpótá, s. **wound, sore**
  -joka mpótá **get wounded**
mpótó, s. **white man's country, Europe**
mpɔ̂, s. **affair, palaver**
  mpɔ̂ na **because of, for**
  mpɔ̂ éte **because**
mpɔndɔ, s. **sounding-pole, punting-pole**
mpɔndú, s. **manioc spinach cooked in oil, manioc leaves**
mpɔngí, s. **sleep**
  -lála mpɔngí **go to sleep, be asleep**
mpóngɔ́, s. **eagle**
mpulúlu, s. **lung(s)**
mpumbú, s. **crumb(s)**
mpumbúlu, s. **sawdust**
mpúnda, s.2 **donkey, ass, horse**
mpunga, s. **large baboon**
mputúlú, s. **dust**
  mputúlú na mótɔ **ashes**
mpwɛ́pwɛ́ (mpwɛ́mpwɛ́) **whisper**
múla, s.4 (miúla) **wave (water)**
mwa (mwá), s. **little, bit, rather**
  mwa míngi **rather a lot**
mwámba, s. **palm oil**
mwambɛ, adj. **eight**

221

mwána, s.2 (bána) **child, young (animal)**
   mwána na lofungóla **key**
mwanda, s. **drainage ditch**
mwángalele, s. **company of soldiers, section of men**
-mwangana, vi. **be sprinkled**
-mwanganisa, vt. **sprinkle**
mwángo, s. **plan, plot, design, project**
mwangó (molangó), s. **hoop for climbing**
mwanjá, s. **roof, roof-ridge**
mwánjé, s.2 (bánjé) **angel**
mwásí, s.2 (básí) **woman, female, wife**
   lobókɔ na mwásí **left side, left**
mweka, s.10 (njeka) **banana**
mwínda, s.2 (miinda) **lamp, lantern, torch**
mwíndo, adj. **black, dark**
-myáka, vi. **drizzle**

N

na, conj. **and, with, on, of, from**
naíno, adv. **yet, still**
-nángola, vt. **melt, dissolve**
-nángwa, vi. **be melted, dissolved**
náni, pron. **who? whoever**
-nánola, vt. **stretch, stretch out**
-náta, vt. **wear clothes, carry**
ndáí, s. **oath**
   -simba ndáí, -káta ndáí **swear, make an oath**
ndaká, s. **promise(s)**
ndakála, s. **small fish, sardines, sprats**
ndakisa, s. **teaching, instruction, indication**
ndáko, s. **house, hut, room**
ndámbo, s. **part, half**
ndanga, s. **pledge, security, guarantee**
ndé, conj. **but, nevertheless**
nde, cond. part. **then, so, thus**
ndeko, s.2 **brother, sister, relative of similar age, friend**
ndelo, s. **limit, boundary, frontier**
ndembó, s. **rubber, ball**
ndéngé, s. **sort, kind, form, type**
ndékɛ, s. **fish trap**
ndɛkɛ, s. **bird (gen.)**
   maláli na ndɛkɛ **convulsions, cerebral malaria**
ndélɛ, s./adv. **day before yesterday, day after tomorrow**
ndɛlɛ, s. **roofing tiles made of palm-leaves plaited**
                 together, the palm producing them
ndɛli, s. **children's nurse**

ndɛnda, s. **vest, under-shirt**
ndiká, s. **palm kernels**
-ndima, vt./vi. **agree, believe, reply affirmatively,**
acquiesce
  kondima, s. **faith, belief**
-ndimana, vi. **covenant together, be in agreement**
ndimbólá, s. **explanation**
-ndimisa, vt. **convince, bring to belief**
ndímo, s. **lemon tree and fruit**
ndíndíndí, adv. **noise of stretching in rope or cable**
  -benda ndíndíndí **pull tightly**
ndingísá, s. **permission, authority**
ndísi (ndíso), s. **small colonial coin worth 10 ct.**
ndói, s. **person with same name**
ndombá, s. **purchase**
ndóngó, s. **problems, difficulty**
  likambo ekómí ndóngó **the affair has become**
complicated
ndóbɔ, s. **fish-hook**
ndɔki, s. **witch, witchcraft**
ndongɛ, s. **large termite**
ndɔngɔ́, s. **harem**
nduka, s. **dam for fishing**
ndúmba, s. **unmarried girl**
ndúnda, s. **vegetables, edible plants**
ndundu, s. **dance drum**
-nɛ́na, vt. **defecate (impolite word)**
-nɛ́tɔla, vt. **raise up, lift from below**
-nɛ́twa, vi. **be raised, hoisted**
ngáí (ngaí), pron. **I, me**
ngai (ngaingai), s. **acidity, sourness**
-ngala, vi. **be violent, very angry, dazzling (sun)**
ngambela, s. **fox**
ngámbo, s. **opposite bank, side of road**
ngambó, s. **pride, ostentation**
nganda, s. **fisherman's hut, cabin**
ngandó, s. **1. crocodile**
  2. scale, stairs, steps
-ngánga, vi. **shout, cry out**
nganga, s.2 **healer, doctor, priest, "witchdoctor"**
ngangé, s. **dry season, low-water season**
ngánjálánganjala, adv. **waddling**
  -támbola ngánjálánganjala **waddle**
nganji, s.2 **antelope**
ngbaa, adv. **brilliantly**
  -tána ngbaa **shine brilliantly**
ngbángbata (ngwángwata), s. **target, butts**
ngélo, s. **tomb, grave**
ngɛlé, s. **down-river**
  na ngɛlé **down-stream**
ngélɛngɛlɛ, s. **bell**

-ngɛnga, vi. **shine**

ngénga, s. **prepuce**
  -káta ngénga **circumcise**

ngɛngɛ, s. **snake venom**

ngila (ekila), s. **prohibited food**

ngínga, s. **root of tree, plant**

ngola, s. **tree with red wood** *(Pterocarpus)*
                        ochre made from this wood

-ngoma, s. **iron (clothes)**

ngómba, s. **hill, mountain**

ngombá, s. **porcupine**

ngombolo, s. **spotted hyena**

ngonga, s. **1. gong, drum, bell, hour, time, period**
    2. heap of firewood

ngongolí (kongolí), s. **1. measles**
    2. millipede
    3. larynx, Adam's apple

ngɔlɔ, s. **edible fish spp. with oily flesh**

ngɔlu, s. **grace, kindness**

ngɔma, s. **dance drum**

ngɔ́mbɛ, s.2 **bull, cow, buffalo**

ngɔndé, s. **crocodile**

ngɔndɔ́, s. **pip of fruit (orange)**

ngɔ́tɔ, s. **sack, sack-cloth**

ngúbá, s. **peanut(s)**

nguba, s. **shield**

ngubú, s. **hippo**

ngulúbe (ngulú), s. **pig**

-nguluma, vi. **snore, grumble (as of thunder)**

ngúma, s. **python**

ngumu, s. **fig tree – bark used for making bark-cloth**
                        (Ficus)

nguyá, s. **strength, force, power**

ngwángwata (ngbángbata), s. **target**

ngwi, adv. **firmly, strongly**

niná, s. **electric fish**

-ninga, vt. **move about, raise**
  -ninga njóto **shrug shoulders**

-ningana, vi. **quake, be agitated**
    koningana na mabelé **earthquake**

-ninganisa, vt. **agitate, wave about, shake**

-ninola, vt. **stretch, extend**

njabi, s. **"captain" fish, flesh like cod,** *(Lates)*

njaki, s. **scoop for baling out canoe**

njala, s. **hunger**

njále, s. **buffalo**

njámbé (njambé, njámbe), s.2 **God**

njánda, s. **large fish with pointed head** *(Mormyrops)*

njánga, s. **zenith, midday**

njeka, s. **banana(s)**

njelá, s. **road, path, way, means**

224

Ɔ

ɔfɛlɔ́pɔ, s. **envelope**
-ɔnga, vt. **beg**

P

paipai, s. **pawpaw, tree and fruit** *(Carica)*
pakala, s. **"so-and-so", second thing mentioned**
pakapáka, s. **1. paddle-wheel, small steamer,**
                                   motor-boat
  2. fruit of the Carambola tree *(Averrhoa)*
-pakela (-pakola), vt. **anoint, smear, paint**
-palangana, vi. **disperse, spread out**
-palanganisa, vt. **spread abroad, scatter**
paláta, s. **medal, silver**
-palola, vt. **plane, smooth down, scrape**
-pambola, vt. **bless, make happy**
-pámela, vt. **rebuke, reprimand, correct**
-pambwa, vi. **be blessed**
pándá (mpándá), s. **scabies, itch**
-pangusa, vt. **polish, rub**
panja, vt. **scatter, rub out**
-panjana, vi. **go away, disappear, scatter**
panya (mpanya), s. **rat**
-papola, vt. **peel**
-pása, vt. **iron (clothes)**
pasase (pasasi), s. **idle person, unoccupied**
-pasola, vt. **split, cut down, operate (hospital)**
-paswa, vi. **be split, be cut downwards**
-paswana, vi. **be split, be cracked**
-pata, vt. **mention name, accuse, betray**
pátátáló, s. **thinness, flatness**
-pekisa, vt. **prevent, stop, forbid**
-pekisama, vi. **be prevented, prohibited**
-pela, vi. **burn, be alight, be sharp**
-pelisa, vt. **light up (lamp), kindle (fire), sharpen (tool)**
pelamɔ́kɔ́, adv. **similarly, like, as, the same thing**
-péma, vi. **breathe, rest**
-pémana, vi. **gasp for breath, pant**
-péndola, vt. **turn over, transform**
-pepa (-popa), vt. **bale water out of canoe**
pɛɛ, adv. **brilliantly**
  mpémbé pɛɛ **brilliant white**
pɛmbéni, adv. **by the side of, along**
  -káta pɛmbéni **cut on the skew**
pɛnɛpɛnɛ, adv. **near, nearby**

229

pɛngɛlɛ, s. **pin**
-pɛngɔla, vt. **divert, turn aside, despise**
-pɛngwa, vi. **move out of way, be diverted, deviate**
-pɛngwisa, vt. **turn aside (especially people)**
                                                    divert, lose
-pɛpa, vi. **blow (wind), agitate (hand, cloth)**
-pésa, vt. **give**
  -mípésa **give oneself, be devoted to**
pɛtɛɛ (pɔtɔɔ), adv. **carefully, quietly, slowly**
  motéma pɛtɛɛ **patient, forbearance**
pɛtɛpɛtɛ, adj. **fragile, soft, brittle**
-pétɔla, vt. **cleanse, purify**
-pétwa, vi. **be clean, pure**
-pétwisa, vt. **make clean, pure (especially people)**
pi-pi-pi, adv. **crowded**
píí, adv. **fixedly**
  -tála píí **look fixedly at**
-pika, vt. **plant in earth (post, stick etc.)**
pike, s. **stake, peg, picket**
-pikola (-bikola), vt. **pull up, pull out of ground**
                                                    (post etc.)

pilipíli, s. **red pepper, chilli**
-píma, vt. **refuse**
-pima (-píma), vt. **measure, weigh**
pípa, s. **large drum (oil), barrel**
pipipi, adv. **crowded, hemmed in**
-pítana, vi. **be worn out, threadbare, delapidated**
pité, s. **adultery, fornication, prostitution**
píto (fíto), s. **lath (used in building house wall)**
pitolo (pítɔlɔ), s. **paraffin**
polé, s. **light, radiance**
polélé, adv. **clearly, openly**
polísi (pɔlísi), s. **policeman**
polólo, s. **flute, musical pipe**
-pombwa, vi. **jump, fly (birds, plane)**
-pombwapombwa, vi. **hop about**
-popa (-pepa), vt. **bale water out of canoe**
-pota, vi. **run, hasten**
-pɔla, vi. **get wet, go rotten**
-pɔlisa, vt. **moisten, wet, rot**
pɔlɔtɔ, s. **squad, cluster of people**
-pɔna, vt. **choose, elect**
pósɔ, s. **rations, week**
  mɔkɔlɔ na pósɔ **Saturday**
pɔtɔpótɔ, s. **mud, clay**
  likambo na pɔtɔpótɔ **corrupt affair**
-puka, vt. **dig, drive into ground**
-pukisa, vt. **shake off (e.g. insect from hand)**
-púlola, vt. **unwind, unroll**
púlúpulu, s. **dysentery, diarrhoea**
-punja, vt. **loot**

-púnjwa, vi. **spurt, spout**
pupa, vt. **winnow**
-pupola, vt. **dust, blow dust from**
-púsa, vt. **push**
-pusa, vi. **excell, surpass**
púsupúsu, s. **hand-cart, push-push**
pwasa, adv. **suddenly**
-pwépwa, vt. **kiss**

S

sáa, s. **hour, clock, watch**
saáni, s. **plate, dish**
sabata, s. **sabbath**
-sábola, vt. **abandon**
sabóni **soap**
-sábwa, vi. **become insipid, lose taste**
safu, s. **fruit of** (Dacryodes) **tree (safou)**
-sakana, vi. **play together**
-sakola, vt. **announce, preach, prophesy**
-sála, vt. **do, make, work**
    mpótá esálí ngáí **the wound hurts me**
-sálela, vt. **work for, serve**
-sálisa, vt. **give work to, employ, treat (sick)**
salíte, s. **dirt**
sâlóngo (sáalóngo), s. **communal work**
-sálwa, vi. **be weak (soup etc), have too much water**
samáki, s. **fish**
-sámba, vi. **go to court, try before judge**
-sámbela, vi. **worship, pray**
-sámbisa, vt. **judge, preside over court, try case**
-sámbwa, vi. **have a bad reputation**
-sámbwisa, vt. **slander, libel**
-sana, vi. **play (games)**
sandúku, s. **coffin, box, trunk**
-sangana, vi. **mix with, associate with, join**
-sanganisa, vt. **add, mix, join**
sangatúmbu (fungatúmbu), s. **woman's skirt**
-sangela, vt. **inform, tell news to**
-sangisa, vt. **intend**
-sángola, vt. **carry heavy objects**
-sangola, vt. **inherit (name)**
sánjá, s. **moon, month**
-sánja, vt. **vomit**
-sanjola, vt. **praise, glorify, worship**
sapáte, s. **carpenter**
sapáto, s. **shoe(s)**
sapéle, s. **medal**

satána, s. **satan**
sé, adv. **only**
  sé bôngó **indeed, only so**
-séba, vt. **sharpen, draw beer**
sekele (sɛkɛlɛ), s. **secret**
sékó, adv. **permanently, always, for ever**
sekúlu (sukúlu), s. **school, class**
-sékwa, vi. **revive, be permanent**
-sékwisa, vt. **resuscitate**
-sélingwa, vi. **be ready, prepared**
sémbó, s./adj. **straight, true, sincere, truth, correctness**
-sémbola, vt. **straighten, correct, make clear**
-sémbwa, vi. **be right, sincere, just**
semísi, s. **shirt**
-senga, vi./vt. **need, be in need of**
-senjwa, vi. **faint, be unconcious**
-sepela, vi./vt. **be pleased, rejoice, be happy about**
-sepelisa, vt. **make happy**
-sɛka, vi./vt. **laugh, mock**
-sékɛlɛ (sékele), s. **secret**
-sɛkisa, vt. **make laugh, amuse**
-sɛkɔla, vt. **cast off (boat), go away**
-sɛkuma, vi. **sob, cry hard**
sɛlɛka, s. **oath, affirmation**
-sɛlimwa, vi. **slip, slide**
-sɛma, vi. **accost, land**
sémbésémbé, adv. **well kept, neat**
sɛméki, s. **sister-in-law (wife speaking)**
-sɛmisa, vt. **bring to shore, tie up (boat)**
-sénga, vt. **ask for, demand**
sɛngí, s. **small colonial coin worth 5 ct.**
-sénginya, vt. **betray**
-sɛnja, vt. **change, bargain, exchange**
-sénjɛla, vt. **guard, look after**
sénjɛlɛ (sínjili), s. **sentinel**
-sɛsa, vt. **cut, cut up (meat, etc.)**
sɛsɛ (nsɛsɛ), s. **intestinal worm(s)**
-sibana, vi. **mate, couple, have sexual intercourse**
sika, adj. **new, of this time**
  sikáwa, sikóyo **just now**
  sikasika, sikasikóyo **at this very moment**
-sikola, vt. **redeem, deliver, free**
sikóti, s. **whip, chicotte**
-síla, vi. **finish, end**
-silika, vi. **frown, be vexed**
-sílisa, vt. **terminate, end**
-sima, vt. **admire, praise**
símba, s.2 **lion, rebel (1964)**
-simba (-símba), vt. **seize, hold firmly**
  -simba ndáí **swear an oath**
-simbasimba, vi. **hesitate, vacillate**

símbisi, s. **urge, incitement**
  -pésa símbisi **incite, stimulate**
sínjili (sénjɛlɛ), s. **sentinel**
-sisa, vi. **hiss**
sitówa, s. **store, shop, shed**
sodá, s.2 **solidier**
sóka (nsóka), s. **axe, hatchet**
sokoto, s. **military uniform, tunic**
solóka, s. **divination, sorcery**
-solola (-soola), vt. **tell, recount, converse**
-sómba, vt. **buy**
-sómbotana, vt. **exchange, barter**
somelé, s. **unemployed person**
-sondama (-sunama), vi. **huddle, crouch, sit on (eggs)**
-songela, vt. **thread on string**
sóngóló, s. **"so-and-so", "thingumijig" (first person mentioned)**
-sopa, vt. **pour, pour out, spill, disobey (rule)**
  -sopa jémi **abort**
-sopana, vi. **spill, be poured out**
sopisi, s. **gonorrhoea**
soséti, s. **socks**
sɔbí (nsɔbí), s. **snake bird**
-sɔkema, vi. **be humble**
sɔkisa, vt. **humiliate, humble**
sɔ́kɔ́, conj. **if, whether, perhaps**
  sɔ́kɔ́...sɔ́kɔ́ **either...or**
sɔ́lɔ́, adv./interj. **truthfully, indeed!**
-sɔ́na, vt. **1. write**
  2. sew
sɔngísɔngí, s. **scandal, row**
-sɔ́ngɔla, vt. **make pointed, sharpen to a point**
sɔpisɔpi, s. **disgust, disgusting state**
-sɔsɔla, vt. **aim at, recognise**
-súba, vt. **urinate**
-súka, vi. **end, finish**
  vt. **support, prop up, help**
-súkisa, vt. **put an end to, terminate**
sukále (sukáli), s. **sugar**
-sukola, vt. **wash, clean, plane rough wood**
sukúlu (sekúlu), s. **school, class**
súkulú, s. **screw**
-sukuma, vt. **shove, push hard, jostle**
-sumba, vt. **defecate**
sumɛ (lisumɛ), s. **small towel**
-sunama (-sondama), vi. **huddle, crouch, sit on (eggs)**
-sundola, vt. **despise**
-sunga, vt. **help**
súpu, s. **soup**
-swá (-súa), vt. **bite, sting**

-súsa, vt. **fold**
-swána, vi. **quarrel**

T

-tâ, vt. **hit, strike**
  -tâ libakú **stumble**
  -táisa libakú **cause to stumble**
-tákana, vi. **assemble, gather together**
-tákanisa, vt. **call together**
-tákola, vt. **collect taxes**
-tála, vt. **look at**
tála, s. **lamp**
talatála, s. **glass, spectacles, mirror**
-tálela, vt. **look for, expect**
tálie, s. **factory, workshop**
-támba, vt. **trap, receive (after expecting something)**
-támbola, vi. **walk, journey, hurry**
-támbwisa, vt. **direct, make to walk, lead**
-tamunya (-nyamuta), vt. **chew, masticate**
-tána, vi. **shine, radiate light**
  ntóngó etání **the day has dawned**
-tánda, vt. **spread out, lay (table)**
tándú, s.6 **palm of hand**
-tánga, vt. **read, count, assume**
  -tánga motúya **count, calculate**
-tanga, vi. **drip, ooze**
-tángola, vt. **separate, put apart, number off**
-tánisa, vt. **make to shine, polish**
tatá, s.2 **father, "dad", Mr., father's brother**
-tatola, vt. **witness**
téé, adv. **a long time, until**
-tela, vi. **ripen, get red or yellow**
-télengana, vi. **stumble, stagger, totter, be abandoned**
                      by spouse
témbele, s. **postage stamp**
-téna, vt. **cut across, section**
-téngatenga, vi. **vacillate, hesitate**
-tépa, vi. **float**
-tetema (-tɛtɛma), vi. **tremble, shake**
-téya, vt. **teach, instruct**
té, adv. **not**
   no! – after affirmative questions,
   yes! – after negative questions
-téka (-tékisa), vt. **sell**
-tɛkama, vi. **be inclined, slant**
-tɛkisa, vt. **incline, bow**

234

-télɛma, vi. **stand up, be upright**
-télɛmɛla, vt. **be opposed to, be standing in front of**
-téma, vi. **stand, stop (on journey)**
-témɛla, vt. **oppose, rise against**
-témisa, vt. **stand upright, erect**
-téngama, vi. **be twisted, bent**
-téngisa, vt. **twist, bend, incline**
-ténguma, vi. **be crippled, lame**
tíí, adv. **upright, vertical**
-tíka, vt. **let, allow, abandon, give (promise)**
   vi. **cease activity**
-tíkala, vi. **remain behind, stay**
-tíkana, vi. **say goodbye, go to leave on road**
tiké, s. **ticket**
tiki, conj. **so, thus, then**
-tilima, vi. **quieten down, abate**
-tilimisa, vt. **calm, tranquillise**
-timba, vi. **turn round and round, whirl, eddy**
   míso ijalí kotimba **become giddy**
timbili, s. **counter-current**
-timola (-tima), vt. **dig, plough, cultivate**
-tínda, vt. **send, give orders**
-tíndika, vt. **push roughly**
tipói (kipói), s. **hammock**
-tíya (tía), vt. **put, place**
   -tíya mokalo **make an excuse**
   -tíya ntembe **doubt**
-tíyola (-tíola), vi. **drift down-river**
-tiyola (-tiola), vt. **despise, scorn**
to (tó), conj. **or**
   to....to **either....or**
tobí, s. **excrement**
-tóka, vt. **draw (water)**
-toka, vi. **perspire, sweat**
tolí, s. **advice, counsel**
-tóma, vt. **send**
-tómbola, vt. **lift up, hoist**
   tómbólá-bwáká **second-hand clothes**
-tónda, vi. **fill up, be repleted**
-tóndana, vi. **be abundant**
-tóndisa, vt. **fill, complete**
-tondola (ndembo) **kick off (football)**
-tónga (-tonga), vt. **build, sew, plait**
-tóngola, vt. **give an enema**
-tósa, vt. **respect, obey**
totolióto, s. **tincture of iodine**
tɔa, vi. **sprout, germinate**
-tɔisa, vt. **make germinate**
-tɔbɔla, vt. **pierce, prick, drill**
-tɔbɔna (-tɔbwana), vi. **be pierced, have puncture**
-tɔka, vi. **boil, bubble up**

-tɔkisa, vt. **boil**
-tɔmbɔka, vi. **revolt, riot, rebel, be violent**
-tɔ́nda, vt. **thank, be grateful for**
-tɔndɔla, vt. **tell news, recount**
-tɔnga, vt. **slander, libel**
   vi. **crow (cock)**
tɔtɔ, masua tɔtɔ **train**
-túba, vt. **pierce, hole**
-tuba, vt. **accuse**
-tubela, vi. **confess**
tubútubú, s. **noise of a poor swimmer**
-túka, vt. **curse, rail**
-túla, vt. **forge (metal)**
-túma, vt. **stab, fish with harpoon**
-tumba, vt. **roast, bake, burn up**
tumbáko, s. **tobacco, mixture of tobacco, bananas**
                                  and pepper

-túmbola, vt. **punish, correct**
-túmola, vt. **provoke, exasperate**
-túna, vt. **ask questions**
-tungisa, vt. **annoy, irritate**
  -mítungisa, vi. **get worried**
-túnya, vi. **become blunt**
-túta, vt. **pound, grind**
   túta lokolo **stumble**
-túta na nsé **throw down**
-tútana, vi. **bump against, knock against**
-tutwa, vt. **swell up**
tuu, adv. **dark, black**
   mólíli tuu **thick darkness**
-twá, -twá nsɔ́i **spit**

U

-úmela, vt. **stay, remain, be a long time**
-úta, vi. **come from, originate**
   útá na **since, from that time, place**

V

vínyo, s. **wine**

W

-wâ, vi. **die, be spoiled**
wâná, adv./conj. **there, over there, so, thus, when**
wangana, s. **crow**
wápi, adv. **where?**
  interj. **not at all! that's not true!**
wáyáwaya, s. **disorderliness, bad behaviour**
-wéla, vt. **defend, protect**
-wélana, vi. **quarrel, dispute**
wénjɛ, s. **small, suburban market**
wólɔ, s. **gold**
wúsúwusu, adj. **delapidated, shabby**

Y

-yâ, vi. **come, become**
-yamba, vt. **1. receive, welcome, accept, take**
    2. direct, pilot (canoe, boat)
-yambola, vt. **confess, admit**
-yánga, vt. **plan, plot**
yángá, s. **island**
-yángana, vi. **gather together, congregate**
  koyángana, s. **assembly, congregation**
-yánganisa, vt. **assemble, gather together, amass**
-yángela, vt. **plot against**
  -yángela mwángo **make a plot**
yangélo (yongélo, kiyangélo), s. **sieve**
yangó, pron. **it, they, that, those, them**
-yánola, vt. **reply to, respond to**
yaúlí, s. **baseness, meanness, savagery**
  nyama na yaúlí **wild animals**
yayá, s. **older brother/sister**
yé, pron. **he, she, him, her**
-yéba, vt. **know, recognize, be able**
-yébana, vi. **be known, be acquainted**
-yébisa, vt. **tell, inform**
-yéisa, vt. **bring**
-yékola, vt. **learn**
-yéla, vt. **bring to, bring with**
-yema (-yéma), vt. **mould (clay for pots), form**
-yémba, vt. **sing**
-yémbisa, vt. **conduct (choir), accompany (music)**
yenda (eyenda), s. **rudder**
yenga (eyenga), s. **holiday, Sunday, week**
-yenga, vi. **remain, last, endure**

yɛmbɛyɛmbɛ, adv. **agitatedly**
   -sála yɛmbɛyɛmbɛ **wave about (in wind)**
-yéngɛbɛna (-yéngɛbɛnɛ), vi. **be just, be right, be true**
-yíba (-íba), vt. **steal**
yíká (liyíká), s. **yam, spinach from its leaves**
yíka, s. **fishing basket**
yika, s. **wheel**
-yíka, vi. **grow bigger, increase**
   -yíka mpíko **take courage, persevere**
   -yíka yenda **steer (boat, canoe)**
-yíkisa, vt. **increase, enlarge, make numerous**
   -yíkisa mpíko **encourage, stimulate**
yíkíyiki, s. **riot, tumult, row**
-yimba, vt. **pluck unripe fruit**
-yína, vt. **immerse in water, dip in liquid**
-yina, vt. **hate**
-yínola, vt. **take out of water**
-yínda, vi. **become dark, black**
-yíndisa, vt. **blacken**
-yíta, vt. **smoke (meat, fish)**
-yóka (-óka), vt. **hear, feel, smell, suffer from**
-yókamela, vt. **listen to**
-yókana, vi. **be heard, be understood, agree**
-yókola, vt. **imitate**
-yoma, vi. **dry up, become dry, be burned to a cinder**
-yomisa, vt. **dry, calcine**
-yongela (-yangela), vt. **sieve**
yɔ̌, pron. **you (sing.)**
-yɔngɔtana, vi. **warp**
yɔ́nsɔ (yɔ́sɔ, nyɔ́sɔ), adj. **all, every**
-yɔ́ta, -yɔ́ta mɔ́tɔ, vt. **warm oneself at fire**
-yɔ́tɔla, vt. **twist**
-yúla, vt. **blow (horn), sound**
-yúta (-úta), vi. **originate**
-yuta, vi. **be wrinkled**